Crepúsculo dos ídolos
ou
Como se filosofa com o martelo

CB052617

Dados Internacionais de Catalogação na Publicação (CIP)
(Câmara Brasileira do Livro, SP, Brasil)

Nietzsche, Friedrich Wilhelm, 1844-1900.
Crepúsculo dos ídolos ou Como se filosofa com o martelo /Friedrich Wilhelm Nietzsche ; tradução de Jorge Luiz Viesenteiner. – Petrópolis, RJ : Vozes, 2014. – (Coleção Vozes de Bolso)

Título do original alemão: Götzen-Dämmerung; oder, Wie man mit dem Hammer philosophirt

4ª reimpressão, 2020.

ISBN 978-85-326-4833-4

1. Filosofia 2. Nietzsche, Friedrich Wilhelm, 1844-1900 I. Título. II. Título: Como se filosofa com o martelo. III. Série.

14-06821 CDD-100

Índices para catálogo sistemático:

1. Filosofia 100

Friedrich Nietzsche

Crepúsculo dos ídolos
ou
Como se filosofa com o martelo

Tradução de Jorge Luiz Viesenteiner

Vozes de Bolso

Título do original alemão: *Götzen-Dämmerung oder Wie man mit dem Hammer philosophirt*
A partir de: Nietzsche Kritische Studienausgabe, editado por Giorgio Colli e Mazzino Montinari. Band 6.
Verlag de Gruyter, Berlim/Nova York, 1967.

© desta tradução:
2014, Editora Vozes Ltda.
Rua Frei Luís, 100
25689-900 Petrópolis, RJ
www.universovozes.com.br
Brasil

Todos os direitos reservados. Nenhuma parte desta obra poderá ser reproduzida ou transmitida por qualquer forma e/ou quaisquer meios (eletrônico ou mecânico, incluindo fotocópia e gravação) ou arquivada em qualquer sistema ou banco de dados sem permissão escrita da editora.

CONSELHO EDITORIAL

Diretor
Gilberto Gonçalves Garcia

Editores
Aline dos Santos Carneiro
Edrian Josué Pasini
Marilac Loraine Oleniki
Welder Lancieri Marchini

Conselheiros
Francisco Morás
Ludovico Garmus
Teobaldo Heidemann
Volney J. Berkenbrock

Secretário executivo
João Batista Kreuch

Editoração: Fernando Sergio Olivetti da Rocha
Diagramação: Sheilandre Desenv. Gráfico
Capa: visiva.com.br

ISBN 978-85-326-4833-4

Editado conforme o novo acordo ortográfico.

Este livro foi composto e impresso pela Editora Vozes Ltda.

Sumário

Prólogo

Manter uma jovial serenidade [*Heiterkeit*] em meio a uma questão sombria e de imensa responsabilidade não é tarefa pequena: e, contudo, o que seria mais necessário do que a jovial serenidade? Coisa nenhuma tem êxito se uma grande confiança não estiver presente. Só o excesso de força é a prova da força. – Uma *transvaloração de todos os valores* [*Um werthung aller Werthe*], esse ponto de interrogação tão negro, tão imenso, que lança sombras sobre aquele que o coloca –, tal destino de tarefa coage a todo instante para ir em direção ao sol, e sacudir de si uma seriedade pesada, uma seriedade que se tornou demasiadamente pesada. Todo meio é adequado para isso, todo "caso", um caso de sorte. Sobretudo a *guerra*. A guerra sempre foi a grande prudência de todo espírito que se tornou demasiado interior, demasiado profundo; até mesmo na ferida ainda se encontra a força curativa. Uma sentença, cuja procedência mantive longe da curiosidade erudita, foi desde muito tempo meu mote:

increscunt animi, virescit volnere virtus.

[O espírito cresce e a virtude se renova por meio da ferida]

Outra convalescença, que em certas circunstâncias me é ainda mais desejável, é *auscultar ídolos*... No mundo há mais ídolos do que realidades: este é *meu* "mau olhar" para este mundo, este é também meu "mau *ouvido*"... Em algum momento nesse ponto, fazer perguntas com o martelo e, talvez, ouvir como resposta aquele famoso som oco que fala das entranhas infladas - quão agradável para aquele que possui ouvidos por trás dos ouvidos, - para mim, velho psicólogo e encantador de ratos [*Rattenfänger*], ante ao qual precisamente aquilo que gostaria de permanecer em silêncio, *tem de ser ouvido alto e em bom-tom* [*laut werden muss*]...

Também este escrito - o título já o revela - é sobretudo um repouso, uma mancha de sol, uma escapada na ociosidade de um psicólogo. Talvez também uma nova guerra? E novos ídolos serão auscultados?... Este pequeno escrito é uma *grande declaração de guerra*; e no que diz respeito a auscultar ídolos, não se trata desta vez de ídolos contemporâneos, mas de ídolos *eternos* que aqui são tocados com o martelo tal como com um diapasão, - não há absolutamente ídolos mais velhos, mais convencidos, mais inchados do que estes... E inclusive mais ocos... Isso não impede que sejam os *mais acreditados*; e especialmente no caso mais nobre, de modo algum se diz que sejam ídolos...

Turim, 30 de setembro de 1888,
no dia em que foi finalizado o primeiro livro da
Transvaloração de todos os valores.
FRIEDRICH NIETZSCHE

Sentenças e setas

1.

Ociosidade é o pai de toda psicologia. Como? A psicologia seria um – vício?

2.

Mesmo o mais corajoso dentre nós só raramente tem coragem para aquilo que *sabe* autenticamente...

3.

É preciso ser um animal ou um deus para viver sozinho – diz Aristóteles. Falta o terceiro caso: é preciso ser ambos – um *filósofo*...

4.

"Toda verdade é simples." – Isto não é uma dupla mentira? –

5.

Eu *não* quero, de uma vez por todas, saber muita coisa. – A sabedoria também delimita fronteiras ao conhecimento.

6.

É na sua própria natureza selvagem que alguém se recupera de sua não natureza, da sua espiritualidade...

7.

Como? O ser humano é somente um erro de Deus? Ou Deus é somente um erro do ser humano?

8.

Da escola de guerra da vida. – O que não me mata me fortalece.

9.

Ajuda-te a ti mesmo: e então todos ainda te ajudarão. Princípio do amor ao próximo.

10.

Que não se cometa nenhuma covardia contra suas ações! Que não se as abandone depois de feitas! – O remorso é vergonhoso.

11.

Um *asno* pode ser trágico? – Sucumbir diante de um fardo que não se pode nem carregar e nem lançar fora?... O caso do filósofo.

12.

Ao se ter seu *por quê?* da vida, então se suporta quase qualquer *como*? – O ser humano *não* anseia a felicidade; só o inglês assim procede.

13.

O homem criou a mulher – mas de onde? Da costela do seu Deus, – do seu "ideal"...

14.

O quê? procuras? gostarias de decuplicar-te, centuplicar-te? procuras adeptos? – Procura *zeros*! –

15.

Seres humanos póstumos – eu, por exemplo – são menos compreendidos do que os contemporâneos, mas bem mais *ouvidos*. Mais exatamente:

nunca somos compreendidos – *por isso* nossa autoridade...

16.

Entre mulheres. – "A verdade? Oh, o senhor não conhece a verdade! Não seria ela um atentado a todos os nossos pudores?" –

17.

Este é um artista da maneira que gosto, modesto em suas necessidades: na verdade, ele quer apenas duas coisas, seu pão e sua arte, – *panem et circen...*

18.

Quem não sabe pôr sua vontade nas coisas, pelo menos ainda põe um *sentido* nelas: ou seja, acredita que já haveria ali uma vontade (princípio da "fé").

19.

Como? vocês elegem a virtude e o peito estufado e, simultaneamente, olham de soslaio para as vantagens dos inescrupulosos? – Mas com a virtude, *renuncia-se* também às "vantagens"... (à porta da casa de um antissemita.)

20.

A mulher perfeita comete em literatura o mesmo que comete com um pequeno pecado: por experimento, de passagem, olhando em torno se alguém a nota, e *que* alguém a nota...

21.

Pôr-se somente naquelas situações onde não são lícitas as virtudes aparentes, onde, tal como o funâmbulo em sua corda, ou se cai ou se equilibra – ou se escapa...

22.

"Os seres humanos maus não têm quaisquer canções." – Como se explica que os russos tenham canções?

23.

"Espírito alemão": há dezoito anos uma *contradictio in adjecto* [contradição nos termos].

24.

Torna-se caranguejo quando se procura pela origem. O historiador olha para trás; por fim, acaba *acreditando* também no para trás.

25.

A satisfação protege mesmo contra o resfriado. Uma mulher que se soubesse bem-vestida já se resfriou alguma vez? – Imagino a situação em que estivesse quase sem roupa.

26.

Desconfio de todos os sistemáticos e fujo do caminho deles. A vontade de sistema é uma falta de retidão [*Mangelan Rechtschaffenheit*].

27.

Considera-se a mulher como profunda – por quê? pois nela jamais se alcança a profundidade. A mulher não é nem sequer superficial.

28.

Se a mulher possui virtudes masculinas, então deve-se fugir dela; e se não possui quaisquer virtudes masculinas, então ela mesma é que foge.

29.

"Quanto se tinha outrora que remorder a consciência? e quão bons dentes se tinha? – E hoje? O que falta?" – Pergunta de um dentista.

30.

Raramente se comete uma precipitação unicamente. Logo na primeira já se faz algo em demasia. Por isso mesmo que geralmente se comete uma segunda – e, desta vez, já não se faz muita coisa...

31.

O verme pisado se contorce. Eis aí algo inteligente. Assim é que ele diminui a possibilidade de ser pisado de novo. Na linguagem da moral: *humildade*. –

32.

Há um ódio à mentira e à dissimulação oriundo de um suscetível conceito de honra; há um ódio similar oriundo da covardia, na medida em que a mentira é *proibida* por um mandamento divino. Demasiado covarde para mentir...

33.

Quão pouco se precisa para a felicidade! O som de uma gaita de foles. A vida seria um erro sem música. O alemão se imagina que Deus mesmo cante canções.

34.

On ne peut penser et écrire qu'assis [não se pode pensar e escrever a não ser sentado] (G. Flaubert). – Assim é que eu te pego, niilista! O traseiro é precisamente o *pecado* contra o espírito santo. Apenas os pensamentos que se têm *em caminhadas* é que possuem valor.

35.

Há casos em que somos como cavalos, nós, os psicólogos, e então ficamos inquietos: vemos nossa própria sombra oscilar para cima e para baixo diante de nós. O psicólogo tem de afastar a vista de *si mesmo* para poder enxergar algo.

36.

Se por acaso nós, imoralistas, causamos *danos* à virtude? – Tão pouco quanto os anarquistas causam aos príncipes. Só quando estes são alvejados sentam-se novamente em seus tronos. Moral: *tem de se disparar contra a moral.*

37.

Corres *adiante*? – Assim o fazes como pastor? ou como exceção? Um terceiro caso seria como o fugitivo... *Primeira* questão de consciência moral [*Gewissensfrage*].

38.

Tu és autêntico? ou apenas um ator? Um representante? ou aquilo mesmo que é representado? – Em último caso, não és sequer mera imitação de ator... *Segunda* questão de consciência moral.

39.

Fala o desiludido. – Procurei pelos grandes seres humanos, e sempre encontrei apenas os *macacos* do seu ideal.

40.

És alguém que só olha? ou que se põe ao trabalho? – ou alguém que desvia o olhar, pondo-se de lado?... *Terceira* questão de consciência moral.

41.

Queres caminhar junto? ou à frente dos outros? ou seguir o próprio caminho?... É preciso saber *o que* se quer e *que* se quer. *Quarta* questão de consciência moral.

42.

Eram degraus para mim, subi por cima deles, – para isso tive que passar sobre eles. Mas imaginaram que eu queria descansar sobre eles...

43.

Que importa que *eu* tenha razão! *Tenho* razão até demais. – E hoje em dia quem ri melhor, ri também por último.

44.

Fórmula da minha felicidade: um sim, um não, uma linha reta, uma *meta*...

O problema de Sócrates

1.

Em todas as épocas, os mais sábios julgaram da mesma maneira a vida: *ela não vale nada*... Sempre e em toda parte se ouviu o mesmo tom de sua boca, – um tom pleno de dúvida, de melancolia, de cansaço da vida, de oposição contra a vida. Mesmo Sócrates disse quando morreu: "viver – isso significa estar doente por muito tempo: devo um galo a Asclépio salvador". O próprio Sócrates estava fatigado. – O que isso *prova*? Sobre o que isso *indica*? – Outrora se teria dito (– oh, isso se disse e suficientemente alto com nossos pessimistas à frente!): "Em todo caso, tem de existir algo de verdadeiro aqui! O *consensus sapientium* [consenso dos sábios] prova a verdade". – Falaríamos assim ainda hoje? *Seria-nos lícito* falar isso? "Em todo caso, tem de existir algo de *doente* aqui" – responderíamos *nós*: seria preciso antes examinar bem de perto esses mais sábios de todas as épocas! Talvez todos eles já não estivessem se sustentando sobre as pernas? seriam tardios? cambaleantes? *décadents*? Talvez a sabedoria apareça sobre a terra como um corvo entusiasmado com um ligeiro odor de carniça?...

2.

Esse jeito irreverente de pensar, que os grandes sábios são *tipos-decadentes*, ocorreu-me primeiramente em um caso em que o preconceito dos eruditos e ignorantes se opõe a ele de maneira ainda mais forte: reconheci Sócrates e Platão como sintomas de declínio, como instrumentos da dissolução grega, como pseudogregos, como antigregos (*Nascimento da tragédia*, 1872). Aquele *consensus sapientium* - isso eu compreendi cada vez melhor - o que menos prova é que eles tinham razão sobre aquilo que concordavam: prova muito mais que eles próprios, esses mais sábios, de alguma maneira concordavam em algo *fisiologicamente* entre si, para da mesma maneira se colocar - *ter de* colocar-se - negativamente diante da vida. Juízos, juízos de valor sobre a vida, pró ou contra, não podem, por fim, serem nunca verdadeiros: eles só têm valor como sintomas, são levados em consideração apenas como sintomas, - em si mesmos tais juízos são uma estupidez. Temos que estender por completo os dedos e fazer a tentativa de compreender essa admirável *finesse*, a de *que o valor da vida não pode ser estimado*. Não por um vivente, pois este é parte e até mesmo objeto de disputa, e não juiz; não por um morto por conta de outras razões. - Da parte de um filósofo, ver no *valor* da vida um problema permanece, dessa forma, até mesmo uma objeção contra ele, um ponto de interrogação em sua sabedoria, uma não sabedoria. - Como? e todos esses grandes sábios - não teriam sido apenas *décadents*, não teriam sido nem sequer sábios? - Mas retorno ao problema de Sócrates.

3.

De acordo com sua ascendência, Sócrates pertencia ao povo mais baixo: Sócrates era plebe. Sabe-se e inclusive ainda se pode ver quão feio ele era. Mas a feiura, em si mesma uma objeção, entre os gregos é quase uma refutação. Sócrates era de fato um grego? Com bastante frequência, a feiura é expressão de um desenvolvimento cruzado, um desenvolvimento *obstruído* pelo cruzamento. Em outros casos aparece como desenvolvimento *descendente* [*niedergehen-*

de Entwicklung]. Os antropólogos entre os criminalistas nos dizem que o típico criminoso é feio: *monstrum in fronte, monstrum in animo* [monstro de aspecto, monstro de alma]. Mas o criminoso é um *décadent*. Sócrates era um típico criminoso? – Isso pelo menos não contestaria aquele famoso juízo de um fisionomista, que soou tão escandaloso aos amigos de Sócrates. Um estrangeiro que entendia de rostos disse na cara de Sócrates, numa ocasião em que veio para Atenas, que ele *seria* um *monstrum*, – que carregava em si todos os vícios e apetites ruins. E Sócrates apenas respondeu: "me conheces, meu senhor!" –

4.

Não apenas o desregramento e anarquia declarados dos instintos indicam a *décadence* em Sócrates: aí estão também a superafetação do lógico e aquela *maldade de raquítico* que o distingue. Não esqueçamos também aquelas alucinações auditivas que foram interpretadas, em sentido religioso, como o "demônio de Sócrates". Em tudo Sócrates é exagerado, bufão, caricatura, e, simultaneamente, em tudo é oculto, de segundas intenções, subterrâneo. – Procuro compreender de qual idiossincrasia provém aquela equivalência socrática de razão = virtude = felicidade: a mais bizarra equivalência que existe, e que possui contra si, de modo especial, todos os instintos do heleno antigo.

5.

Com Sócrates, o gosto grego se modifica em favor da dialética: O que acontece ali realmente? Acima de tudo, um gosto *aristocrático* é vencido com isso; a plebe ascende ao primeiro plano com a dialética. Antes de Sócrates eram rejeitadas na boa sociedade as maneiras dialéticas: eram consideradas más maneiras, elas comprometiam. Advertia-se a juventude contra elas. Desconfiava-se inclusive de toda exposição das próprias razões. As coisas honestas [*Honnete Dinge*], bem como seres humanos honestos [*honnete Menschen*], não carregam nas mãos dessa forma as próprias razões. É indecoroso mostrar todos os cincos dedos. Tem pouco valor aquilo que antes tem de ser provado. Em toda parte onde a autoridade ainda pertence aos bons costumes, onde não se "fundamenta", mas se comanda, o dialético é uma espécie de bufão: costuma-se rir dele, sem o levar a sério. – Sócrates era um bufão que *se fez levar a sério*: O que aconteceu ali realmente? –

6.

Escolhe-se a dialética apenas quando não se tem nenhum outro meio. Sabe-se que se desperta desconfiança com ela, que ela pouco convence. Nada é mais fácil para se apagar do que o efeito de um dialético: e o que prova isso é a experiência de qualquer agrupamento onde se discursa sobre algo. A dialética pode ser apenas a *legítima defesa* nas mãos de quem não possui quaisquer outras armas. É preciso ter que *conquistar à força* seu direito: do contrário não se faz qualquer uso dela. Por isso os judeus foram dialéticos; a raposa Reinecke era: Como? Sócrates também o era? –

7.

– A ironia de Sócrates é expressão de revolta? de ressentimento plebeu? ele goza, como oprimido, da sua própria ferocidade nas apunhaladas do silogismo? ele se *vinga* dos nobres que fascina? – Como dialético, tem-se uma impiedosa ferramenta em mãos; com ela se pode exercer o papel de tirano; ao vencer, compromete-se a outros. O dialético deixa ao seu adversário a incumbência de demonstrar não ser um idiota: enfurece ao mesmo tempo em que desampara. O dialético *depotencializa* [*depotenzirt*] o intelecto do seu adversário. – Como? a dialética em Sócrates é apenas uma forma de *vingança*?

8.

Dei a entender de que modo Sócrates poderia repelir: resta muito mais a esclarecer *porque* ele fascinava. – Uma primeira razão é o fato de que ele descobriu uma nova espécie de *agon*, de que foi o primeiro mestre de esgrima nos círculos aristocráticos de Atenas. Ele fascinou, na medida em que tocou o impulso agonal [*agonalen Trieb*] dos helenos, – ele trouxe uma variante no combate entre homens jovens e adolescentes. Sócrates também era um grande *erótico*.

9.

Mas Sócrates adivinhou algo a mais. Ele via *por trás* dos seus nobres atenienses; ele compreendeu que *seu* caso, sua idiossincrasia de caso já não era mais nenhum caso excepcional. A mesma espécie de degenerescência se preparava silenciosamente em toda parte: a velha Atenas caminhava para seu final. – E Sócrates entendeu que o mundo todo tinha *necessidade* dele, – do seu remédio, da sua cura, do seu artifício pessoal de autoconservação... Em toda parte os instintos estavam em anarquia; em toda parte se estava há cinco passos do excesso: o *monstrum in animo* era o perigo generalizado. "Os impulsos queriam se tornar tiranos; é preciso inventar um *contratirano* que seja mais forte"... Quando aquele fisionomista tinha revelado a Sócrates quem ele era, um covil de todos os piores apetites, o grande ironista mandou dizer ainda uma palavra que fornece a chave para entendê-lo. "Isso é verdade, disse ele, mas me tornei senhor de todos." *Como* Sócrates se tornou senhor de *si*? – No fundo, seu caso era apenas o caso extremo, apenas o que mais saltava aos olhos daquilo que, naquela época, começou a se tornar a miséria geral: que ninguém mais era senhor de si, que os instintos se voltavam uns *contra* os outros. Ele fascinava na medida em que era esse caso extremo – sua apavorante feiura o exprimia para todos os olhos: e de maneira autoexplicativa, ele fascinou ainda mais intensamente como resposta, como solução, como aparência de *cura* para esse caso. –

10.

Quando se tem necessidade de fazer da *razão* um tirano, como Sócrates o fez, então não é pequeno o perigo de que outra coisa se faça de tirano. Naquela época, a racionalidade tinha se revelado como a *salvadora*, nem Sócrates, nem seus "doentes" estavam livres de serem racionais, – era de *rigueur*, era seu último remédio. O fanatismo com o qual a reflexão grega inteira se dedica à racionalidade revela uma *situação de emergência* [*Nothlage*]: estava-se em perigo, tinha-se apenas uma escolha: ou perecer ou – ser *absurdamente racionais*... O moralismo dos filósofos gregos a partir de Platão está patologicamente condicionado; e igualmente seu apreço pela dialética. Razão = virtude = felicidade significa meramente: é preciso imitar Sócrates, bem como produzir permanentemente contra os desejos obscuros uma *luz diurna* – a luz diurna da razão. É preciso ser prudente, claro, transparente a qualquer preço: toda concessão aos instintos, ao inconsciente, conduz *para o fundo*...

11.

Dei a entender de que modo Sócrates fascinava: ele parecia ser um médico, um salvador. Ainda é necessário apontar o erro que existia em sua fé na "racionalidade a qualquer preço"? – É um autoengano da parte dos filósofos e moralistas pensar que saem da *décadence*, no fato de que façam guerra contra ela.

Sair da *décadence* está fora de sua força: o que eles escolhem como remédio, como salvação, é novamente apenas a mesma expressão da *décadence* – eles *modificam* a expressão dela, mas não a eliminam. Sócrates era um mal-entendido; *a moral inteira do melhoramento, inclusive a cristã, era um mal-entendido*... A mais ofuscante luz diurna, a racionalidade a qualquer preço, a vida clara, fria, cautelosa, consciente, sem instinto, que resiste aos instintos, era propriamente apenas uma doença, uma doença diferente – e absolutamente nenhum retorno à "virtude", à "saúde", à "felicidade"... Os instintos *têm de* combater – essa é a fórmula para a *décadence*: ao passo que a vida *ascendente*, felicidade é igual a instinto. –

12.

– Teria compreendido a mesma coisa, este mais perspicaz de todos os que enganam a si mesmos? Chegou a dizer para si próprio ao final, na *sabedoria* de sua coragem diante da morte? ... Sócrates *queria* morrer: – não Atenas, mas *ele mesmo* deu a si o veneno, ele forçou Atenas para o copo de veneno... "Sócrates não é nenhum médico, falou ele silenciosamente para si mesmo: aqui, unicamente a morte é médico... Sócrates mesmo apenas esteve doente por um longo tempo..."

A "razão" na filosofia

1.

Perguntam-me o que em tudo é idiossincrasia nos filósofos?... Por exemplo, sua ausência de sentido histórico, seu ódio contra a noção mesma de devir, seu egipcismo [*Ägypticismus*]. Eles acreditam render *honras* a algo, quando de-historicizam [*enthistorisiern*] esse mesmo algo, *sub specie aeterni* [sob a perspectiva do eterno], - quando convertem esse algo em múmia. Tudo o que os filósofos há séculos manejaram foram conceitos-múmias; nada de efetivamente vivaz veio de suas mãos. Eles matam, empalham, esses senhores idólatras de conceitos, quando adoram, - tornam-se um perigo mortal para tudo, quando adoram. A morte, a mudança, a velhice, bem como a procriação e o crescimento são uma objeção para eles, - até mesmo refutações. O que é não *devém*; o que devém, não é... Assim, todos eles acreditam, inclusive com desespero, no ente [*an's Seiende*]. Mas na medida em que não se apoderam dele, buscam as razões do porquê se oculta a eles. "Tem de haver uma aparência, um engano no fato de que não percebemos o ente: Onde se esconde o enganador?" - "Nós o temos, gritam eles bem-aventurados, é a sensibilidade!" Esses sentidos, *que inclusive são tão imorais em outros aspectos*, enganam-nos a propósito do mundo *verdadeiro*. Moral: desprender-se do engano dos sentidos, do devir, da história, da mentira, - história não é outra coisa que a fé nos sentidos, fé na mentira. Moral: dizer não a tudo que rende fé aos sentidos, a todo resto da humanidade: tudo isso é "povo". Ser filósofo, ser múmia, representar o monótono-teísmo por meio de uma mímica de coveiro! – E sobretudo, basta com o *corpo*, essa lastimável *idée fixe* [ideia fixa] dos sentidos! tomada por todos os erros da lógica que existem, refutada, até mesmo impossível, ainda que seja atrevida o suficiente para comportar-se como se fosse real!"...

2.

Ponho à parte, com grande respeito, o nome de *Heráclito*. Se o outro povo de filósofos rejeitava o testemunho dos sentidos, pois estes indicavam multiplicidade e mudança, Heráclito rejeitava esse testemunho mesmo, visto que mostravam as coisas como se tivessem duração e unidade. Também Heráclito fez injustiça aos sentidos. Estes não mentem nem da maneira como os Eleatas acreditavam e nem da maneira como ele mesmo acreditou, – eles não mentem de maneira alguma. O que *fazemos* a partir do seu testemunho, isso que unicamente introduz a mentira, por exemplo, a mentira da unidade, a mentira da coisidade [*Dinglichkeit*], da substância, da duração... A "razão" é a causa de que falseamos o testemunho dos sentidos. Na medida em que indicam o devir, o fluxo, a transitoriedade, os sentidos não mentem... Com isso, porém, Heráclito terá eternamente razão no fato de que o ser [*Sein*] é uma ficção vazia. O mundo "aparente" é o único que existe: o "mundo verdadeiro" é apenas *mentirosamente acrescentado*...

3.

– E que sutis instrumentos de observação temos em nossos sentidos! Esse nariz, por exemplo, sobre o qual nenhum filósofo ainda falou com respeito e gratidão, por enquanto é até mesmo o instrumento mais delicado disponível a nós: permite constatar inclusive mínimas diferenças de movimento, que o próprio espectroscópio não constata. Possuímos hoje ciência exatamente no tanto em que nos decidimos *aceitar* o testemunho dos sentidos, – no tanto em que aprendemos inclusive a afiá-los, armá-los e pensá-los a fundo. O resto é aborto e ainda-não-ciência: quer dizer, metafísica, teologia, psicologia, teoria do conhecimento. *Ou* ciência-formal, doutrina dos signos: como a lógica e a lógica aplicada, a matemática. Nelas a efetividade [*Wirklichkeit*] não chega a ocorrer, nem sequer como problema; muito menos como pergunta de qual valor possui em geral tal convenção de signos como a lógica. –

4.

A *outra* idiossincrasia dos filósofos não é menos perigosa: ela consiste em confundir o último e o primeiro. Eles põem no início, *como* início, aquilo que vem no final – infelizmente! pois não deveria vir em absoluto! – os "conceitos supremos", ou seja, os conceitos mais universais e mais vazios, a última fumaça de uma realidade que se evapora. Isto é mais uma vez apenas expressão da sua maneira de venerar: o que é superior *não pode* derivar do que é inferior, *não pode* ser derivado de maneira alguma... Moral: tudo o que é de primeira ordem tem de ser *causa sui* [causa de si mesmo]. A proveniência a partir de algo diferente vale como objeção, como contestação de valor. Todos os valores mais superiores são de primeira ordem, todos os conceitos mais supremos, o ente, o incondicionado, o bem, o verdadeiro, o perfeito – tudo isso não pode ter se tornado, consequentemente, *tem de* ser *causa sui*. Mas tudo isso também não pode ser desigual entre si, não pode estar em contradição consigo mesmo... Dessa forma que os filósofos possuem seu estupendo conceito "Deus"... O último, o mais tênue, mais vazio é posto como primeiro, como causa em si, como *ens realissimum* [ente realíssimo]... E a humanidade teve de levar a sério os distúrbios cerebrais de enfermos tecedores de teias! – E pagou caro por isso!...

5.

Coloquemo-nos em oposição a isso, por fim, a maneira distinta com que *nós* (– digo nós por gentileza...) concebemos o problema do erro e da aparência. Em outra época tomava-se a mudança, a transitoriedade, o devir em geral, como prova da aparência, como signo de que ali teria de existir algo que nos induzia ao erro. Hoje, ao contrário, exatamente na medida em que o preconceito da razão nos coage a estabelecer unidade, identidade, duração, substância, causa, coisidade, ser, vemo-nos de certa forma enredados no erro, *necessitados* do erro; estamos tão certos, por conta de uma rigorosa investigação conosco mesmos sobre isso, *de que* o erro está aqui. A mesma coisa acontece com os movimentos de um grande astro: neles, o erro tem como advogado permanente nossos olhos, aqui a nossa *linguagem*. Pela sua origem, a linguagem pertence à época da forma mais rudimentar de psicologia: atingimos uma espécie de fetiche grosseiro quando trazemos à consciência os pressupostos fundamentais da metafísica da linguagem, dito claramente: da *razão*. *Essa espécie grosseira de fetiche* vê em toda parte agentes e ações: crê na vontade como causa em geral; crê no "Eu", no Eu como Ser, no Eu como substância, e *projeta* sobre todas as coisas a crença no Eu-substância – unicamente dessa forma é que *cria* o conceito "coisa"... O ser é acrescentado com o pensamento, *introduzido dissimuladamente* em toda parte como causa; unicamente da concepção "Eu" se segue, como derivado, o conceito "ser"... No começo está o grande e funesto erro de que a vontade é algo que *produz efeito*, – que a vontade é uma *faculdade*... Hoje sabemos que é uma mera palavra... Bem mais tarde, em um mundo mil vezes mais esclarecido, chegou à consciência dos filósofos, surpreendentemente, a *segurança*, a *certeza* subjetiva no manejo das categorias da razão: eles concluíram que estas categorias não poderiam derivar da empiria, – toda empiria estaria em contradição com elas. *De onde derivam então?* – E na Índia como na Grécia cometeu-se o mesmo erro: "tínhamos que alguma vez já ter habitado um mundo mais elevado (– ao invés de *um mundo muito mais inferior*: o que teria sido a verdade!), tínhamos de ter sido divinos, *pois* possuímos razão!"... De fato, nada teve até agora uma força de convencimento mais ingênua do que o erro do ser, tal como ele foi formulado, por exemplo, pelos Eleatas: ele tem a seu favor cada palavra, cada frase que falamos! – Mesmo os adversários dos Eleatas também sucumbiram à sedução do seu conceito de ser: Demócrito, dentre outros, quando ele inventou seu *átomo*... A "razão" na linguagem: oh que velha mulher enganadora! Temo que não nos livraremos de Deus, porque ainda acreditamos na gramática...

6.

Serão gratos a mim se eu concentrar uma noção tão essencial e tão nova em quatro teses: assim, facilito o entendimento, desafio a contradição.

Primeira proposição: as razões pelas quais "este" mundo foi classificado como aparente fundamenta, muito mais, sua realidade – uma espécie *diversa* de realidade é absolutamente indemonstrável.

Segunda proposição: as características que se deu ao "verdadeiro ser" das coisas são características do não ser, do *nada*, – construiu-se o "mundo verdadeiro" a partir da contradição ao mundo efetivo [*zurwirklichen Welt*]: no fundo, um mundo aparente na medida em que ele é mera ilusão ótico-moral.

Terceira proposição: fabular sobre um "outro" mundo distinto deste não tem absolutamente qualquer sentido, pressupondo que em nós não domine um instinto de calúnia, apequenamento, suspeita da vida: neste último caso, *vingamo-nos* da vida com a fantasmagoria de uma "outra" vida, de uma vida "melhor".

Quarta proposição: dividir o mundo em "verdadeiro" e "aparente", seja da maneira como o fez o cristianismo, seja da maneira como o fez Kant (no final das contas, um *pérfido* cristão) é apenas uma sugestão de *décadence*, – um sintoma de vida *declinante*... O fato de que o artista estime a aparência de modo superior à realidade [*Realität*] não é qualquer objeção a esta proposição. Pois "a aparência" significa aqui a realidade *mais uma vez*, só que agora em uma seleção, fortalecimento, retificação... O artista trágico não é um pessimista, – ele diz *Sim* precisamente a tudo o que é questionável e inclusive terrível, ele é *dionisíaco*...

Como o "mundo verdadeiro" por fim se tornou fábula

História de um erro

1.

O mundo verdadeiro alcançável ao sábio, ao piedoso, ao virtuoso, – ele vive nele, *ele é esse mundo.*

(Forma mais antiga da Ideia, relativamente inteligente, simples, convincente. Transcrição da proposição "eu, Platão, *sou* a verdade".)

2.

O mundo verdadeiro, por enquanto inalcançável, mas prometido ao sábio, ao piedoso, ao virtuoso ("ao pecador que faz penitência").

(Progresso da Ideia: ela se torna mais sutil, mais capciosa, inapreensível, – *ela se torna mulher*, torna-se cristã...)

3.

O mundo verdadeiro, inalcançável, indemonstrável, imprometível, mas já enquanto pensado, um consolo, uma obrigação, um imperativo.

(No fundo, o velho sol, mas entrevisto entre neblina e ceticismo; a Ideia se tornou sublime, pálida, nórdica, konigsberguiana.)

4.

O mundo verdadeiro - inalcançável? Em todo caso, inalcançado. E enquanto inalcançado também *desconhecido*. Por conseguinte, também não é consolador, redentor, obrigatório: Para o quê algo desconhecido poderia nos obrigar?...

(Manhã cinzenta. Primeiro bocejo da razão. Canto de galo do positivismo.)

5.

O "mundo verdadeiro" - uma Ideia que não é mais útil pra nada, que nem mesmo obriga, - uma Ideia que se tornou inútil, supérflua, *por conseguinte* uma Ideia refutada: eliminemo-la!

(Dia claro; café da manhã; retorno do *bon sens* e da jovial serenidade; vergonha de Platão; ruído infernal de todos os espíritos livres.)

6.

Abolimos o mundo verdadeiro: Que mundo restou? Talvez o mundo aparente?... Mas não! *com o mundo verdadeiro abolimos também o mundo aparente!*

(Meio-dia; Momento da mais curta sombra; Final do mais longo erro; Ponto culminante da humanidade; INCIPIT ZARATHUSTRA [Zaratustra começa].)

Moral como contranatureza

1.

Todas as paixões possuem uma época em que são meramente nefastas, em que puxam para baixo suas vítimas com o peso da estupidez – e numa época mais tarde, bem mais tarde, quando se casam com o espírito, "espiritualizam-se". Outrora, fazia-se guerra à própria paixão, por causa da estupidez na paixão: conspirava-se para seu aniquilamento, – todos os antigos monstros da moral são unânimes sobre "*Il faut tuer les passions*" [é preciso matar as paixões]. A mais famosa fórmula para isso está no Novo Testamento, naquele Sermão da Montanha em que, a propósito, as coisas não são consideradas, absolutamente, *a partir do alto*. Nele é dito, por exemplo, aplicando-se à sexualidade, "se teu olho te escandaliza, arranca-o fora": por sorte, nenhum cristão age segundo esse preceito. *Aniquilar* as paixões e os desejos unicamente para se precaver de sua estupidez e as consequências desagradáveis da sua estupidez aparecem-nos hoje meramente como uma aguda forma de estupidez. Não admiramos mais os dentistas que *extraem* os dentes para que eles não doam mais... Com alguma equidade se concede, por outro lado, que o conceito "*espiritualização* da paixão" de modo algum poderia ser concebido sobre o solo a partir do qual o cristianismo cresceu. Como se sabe, a Igreja primitiva combateu *contra* os "inteligentes" em favor dos "pobres de espírito": Como se esperaria dela uma guerra inteligente contra as paixões? – A Igreja combate as paixões com a extirpação em todos os sentidos: sua prática, sua "cura" é o *castratismo*. Ela nunca pergunta: "Como espiritualizar, embelezar, divinizar um desejo?" – em todas as épocas, ela deu demasiada importância na disciplina sobre o extermínio (da sensualidade, do orgulho, do anseio de domínio, do anseio de avidez, do anseio de vingança). – Mas atacar as paixões pela raiz significa atacar a vida pela raiz: a práxis da Igreja é *hostil à vida*...

2.

Esse mesmo meio, a castração, o extermínio, foi instintivamente escolhido no combate contra um desejo, por aqueles que são demasiado fracos de vontade, por aqueles que são demasiado degenerados para conseguir impor-se uma medida nele: por aquelas naturezas que, para falar em metáfora (e sem metáfora –), têm necessidade de La Trappe, qualquer definitiva declaração de inimizade, um *abismo* entre si e uma paixão. Os meios radicais são imprescindíveis apenas aos degenerados; a fraqueza de vontade, ou, para falar especificamente, a incapacidade de *não* reagir a um estímulo é propriamente outra forma de degenerescência. A radical inimizade, a inimizade mortal contra a sensualidade ainda é um sintoma que faz pensar: autoriza-se a fazer suposições sobre o estado global de alguém assim tão excessivo. – Essa hostilidade, esse ódio só atinge seu ápice, aliás, quando tais naturezas não possuem mais firmeza o bastante para uma cura radical, para renunciar ao seu "demônio". Olhe-se panoramicamente a história inteira dos sacerdotes e filósofos, incluindo a dos artistas: o que é mais venenoso contra os sentidos *não* foi dito pelos impotentes, e também não pelos ascetas, mas pelos ascetas impossíveis, por aqueles que haviam tido a necessidade de serem ascetas...

3.

A espiritualização da sensualidade se chama *amor*: ela é o grande triunfo sobre o cristianismo. Um triunfo diverso é nossa espiritualização da *inimizade*. Ela consiste em compreender profundamente o valor que existe em ter inimigos: dito brevemente, em agir e extrair conclusões inversas àquelas que, em outro tempo, agiu e concluiu. Em todas as épocas, a Igreja quis a aniquilação dos seus inimigos: nós, nós imoralistas e anticristos, vemos nossa vantagem justamente no fato de que a Igreja subsista... Inclusive em questões políticas a inimizade se tornou agora mais espiritual, – bem mais inteligente, mais reflexiva, mais *cuidadosa*. Quase todo partido compreende que seu interesse de autoconservação consiste em que o partido adversário não perca as forças; o mesmo vale para a grande política. Principalmente para uma nova criação, como o novo *Reich*, ter inimigos é mais necessário que amigos: somente no antagonismo ele se sente necessário, somente no antagonismo ele *se torna* necessário... Não é de outra maneira que nos comportamos em relação a nosso "inimigo interior": também aqui espiritualizamos a inimizade, também aqui compreendemos seu *valor*. Só se é *fecundo* ao preço de ser rico em antagonismos; só se permanece *jovem* sob o pressuposto de que a alma não se distenda, não deseje a paz... Nada se tornou para nós mais estranho do que aquela aspiração de antigamente, a "paz da alma", a aspiração *cristã*; nada nos causa menos inveja do que a vaca-moral e a gordurosa felicidade da boa consciência. Renuncia-se à *grande* vida ao se renunciar à guerra... Em muitos casos, naturalmente, a "paz da alma" é um mero mal-entendido, – algo diverso sobre o qual apenas não se sabe nomear de forma mais honesta [*ehrlicher*]. Sem rodeio e preconceito, há aqui alguns casos. "Paz da alma" pode ser, por exemplo, a suave irradiação de uma animalidade em questão moral (ou religiosa). Ou o começo de uma fadiga, a primeira sombra que a noite, qualquer espécie de noite, lança. Ou um signo de que o ar está úmido, de que se aproximam os ventos do sul. Ou a gratidão, sem o saber, por uma feliz digestão ("amor pelos seres humanos" como também se pode chamar). Ou o aquietar-se do convalescente, para quem todas as coisas têm um novo sabor e que por tudo espera... Ou o estado que se segue de um forte apaziguamento das nossas paixões dominantes, o bem-estar de uma rara saciedade. Ou a antiga fraqueza de nossa vontade, nossos desejos, nossos vícios. Ou a preguiça, persuadida pela vaidade, a embelezar-se moralmente. Ou a chegada de uma certeza, mesmo uma certeza terrível, depois de uma prolongada tensão e tortura causada pela incerteza. Ou a expressão da maturidade e maestria no agir, criar, atuar, querer, a calma respiração, a *alcançada* "liberdade da vontade"... *Crepúsculo dos ídolos*: quem sabe? talvez também apenas uma espécie de "paz da alma"...

4.

– Trago um princípio em uma fórmula. Todo naturalismo na moral, isto é, toda moral *saudável* é dominada por um instinto de vida, – qualquer mandamento de vida vem preenchido de determinado cânon de "deves" e "não deves", qualquer obstáculo e hostilidade no caminho da vida são, com isso, eliminados. A moral *contranatural*, isto é, quase toda moral que até agora foi ensinada, venerada e pregada, dirige-se, ao contrário, precisamente *contra* os instintos de vida, – ela é, por vezes secreta, por vezes ruidosa e insolente, *condenação* desses instintos. Na medida em que ela diz "Deus vê no coração", acaba por dizer Não aos mais baixos e elevados desejos de vida, e considera Deus como *inimigo da vida*... O santo, de quem Deus tem sua complacência, é o ideal castrado... A vida chega ao fim, ali onde *começa* o "Reino de Deus"...

5.

Supondo que se tenha compreendido o que há de ultrajante em tal rebelião contra a vida, tal como se tornou quase sacrossanta na moral cristã, por sorte então também compreendemos alguma coisa diversa: a inutilidade, o ilusório, o absurdo, o *mentiroso* dessa rebelião. Em última instância, uma condenação da vida por parte do vivente permanece, porém, apenas o sintoma de uma determinada espécie de vida: com isso, não é lançada em absoluto a pergunta se essa condenação é justa ou injusta. Para que fosse lícito em geral tocar o problema do *valor* da vida, seria necessário situar-se em uma posição *fora* da vida e, por outro lado, conhecê-la tão bem como alguém, como muitos, como todos que a viveram: razões suficientes para compreender que o problema é para nós um problema inacessível. Quando falamos de valores, falamos sob a inspiração, sob a ótica da vida: a vida mesma nos coage a estabelecer valores, a vida mesma valora através de nós *quando* estabelecemos valores... Disso se segue que aquela *contranatureza da moral*, que concebe Deus como contraconceito e condenação da vida, também é apenas um juízo de valor da vida – *de qual* vida? *de que* espécie de vida? – Mas eu já dei a resposta: da vida declinante, enfraquecida, cansada, condenada. Moral, conforme foi entendida até agora – conforme, em última instância, foi formulada por Schopenhauer enquanto "negação da vontade de vida" – é o próprio *instinto de décadence*, que faz de si um imperativo: essa moral diz: "*pereça!*" – ela é o juízo dos condenados...

6.

Ponderemos ainda, por fim, que ingenuidade é dizer "assim e assim o ser humano *deveria* ser!" A efetividade nos mostra uma fascinante riqueza de tipos, a exuberância de um perdulário jogo e mutação de formas: e algum pobre preguiçoso moralista diz sobre isso: "não! o ser humano deveria ser *de outra maneira*"?... Ele sabe inclusive como deveria ser, este coitado e beato, pinta a si mesmo na parede e diz "*ecce homo*!"... Mas mesmo quando o moralista se dirige ao indivíduo e diz a ele: "assim e assim *tu* deverias ser!", não deixa de se fazer risível. O indivíduo é um fragmento de *fatum* sob qualquer perspectiva, uma lei mais, uma necessidade mais para tudo o que virá e será. Dizer a ele "modifique-se" significa exigir que tudo se altere, inclusive o que se passou... E, de fato, existiram consequentes moralistas, eles quiseram o ser humano diverso, a saber, virtuoso; quiseram-no segundo sua imagem, ou seja, como beato: para isso *negaram* o mundo! Uma tolice nada pequena! Uma espécie nada modesta de imodéstia!... A moral, na medida em que *condena*, em si, *não* por preocupações, considerações, intenções de vida, é um erro específico com o qual não se deveria ter nenhuma compaixão, uma *idiossincrasia de degenerados* que causou uma quantidade indizível de danos!... Nós outros, nós imoralistas, ao contrário, estendemos nosso coração para toda espécie de entendimento, compreensão, *aprovação*. Não negamos tão facilmente, buscamos nossa honra justamente em sermos *afirmadores*. Cada vez mais nossos olhos se abriram para aquela economia que precisa saber aproveitar ainda tudo o que rejeita o santo disparate do sacerdote, da razão *doentia* no sacerdote, para aquela economia que vigora na lei da vida, e que tira vantagem da própria repugnante espécie de beato, de sacerdote, de virtuosos, – *qual* vantagem? – Mas nós mesmos, nós imoralistas, somos aqui a resposta...

Os quatro grandes erros

1.

Erro da confusão entre causa e consequência. – Não há erro mais perigoso do que *confundir a consequência com a causa*: eu o denomino como autêntica corrupção da razão. Apesar disso, esse erro pertence aos mais antigos e jovens costumes da humanidade: entre nós, está inclusive santificado, carregando os nomes de "religião", "moral". *Cada* proposição formulada pela religião e a moral o contém; sacerdotes e legisladores morais são os promotores dessa corrupção da razão. – Darei um exemplo: todos conhecem o livro do famoso Cornaro, no qual aconselha sua escassa dieta como receita para uma vida longa e feliz – inclusive virtuosa. Poucos livros foram tão lidos, e ainda hoje na Inglaterra é anualmente impresso em muitos milhares de exemplares. Não duvido do fato de que um livro (excetuando-se a Bíblia, obviamente) tenha causado tanto dano, tenha *abreviado* tanta vida como essa curiosa obra tão bem-intencionada. Razão para isso: a confusão da consequência com a causa. O honrado italiano viu em sua dieta a *causa* da sua longa vida: enquanto a precondição para uma longa vida, a extraordinária lentidão do metabolismo, o consumo reduzido, era a causa da sua escassa dieta. Ele não era livre para comer pouco *ou* muito, sua frugalidade *não* era uma "vontade livre": ficava doente quando comia demais. Quem não é uma carpa, porém, não apenas faz bem em comer *regularmente*, mas tem necessidade disso. Um erudito *dos nossos* dias, com seu rápido consumo de força nervosa, sucumbiria com o *régime* de Cornaro. *Crede experto* [Creia naquele que experimentou]. –

2.

A fórmula mais universal que está na base de toda religião e moral, reza: "faz isso e aquilo, não faça isso e aquilo – então serás feliz! De outra forma..." Cada moral, cada religião *é* esse imperativo, – eu o denomino como o grande pecado original da razão, a *imortal irracionalidade*. Em minha boca, cada fórmula se transforma em seu contrário – *primeiro* exemplo da minha "transvaloração de todos os valores": um ser humano bem-constituído, um "ser humano feliz", *tem de* realizar certas ações e, instintivamente, envergonhar-se de outras ações, ele traz consigo o ordenamento que fisiologicamente apresenta em suas relações com seres humanos e coisas. Em uma fórmula: sua virtude é a *consequência* da sua felicidade... Uma vida longa, uma rica descendência *não* é recompensa da virtude, a virtude é muito mais justamente aquele retardamento do metabolismo que, dentre outras coisas, também tem por consequência uma vida longa, uma rica descendência, em suma, o *cornarismo*. – A Igreja e a moral dizem: "uma geração, um povo, é arruinado por meio do vício e o luxo". Minha razão *reestabelecida* diz: quando um povo sucumbe, degenera fisiologicamente, então se tem *como consequência* o vício e o luxo (ou seja, o anseio por estímulos cada vez mais fortes e frequentes, tal como toda natureza esgotada os conhecem). Esse jovem prematuramente empalidece e murcha. Seus amigos dizem: isso é culpa de tal e tal doença. Eu digo: *o fato de que* ele tenha ficado doente, *de que* não tenha resistido à doença, já era a consequência de uma vida empobrecida, de um esgotamento hereditário. O leitor de jornal diz: esse partido caminha à ruína com tal erro. Minha política *superior* diz: um partido que comete tais erros está no fim – já não possui sua instintiva segurança. Todo erro em qualquer sentido é a consequência da degeneração do instinto, da desagregação da vontade: com isso, já quase se define o *ruim*. Tudo o que é *bom* é instinto – e, por consequência, leve, necessário, livre. A fadiga é uma objeção, Deus é tipicamente distinto do herói (em minha linguagem: os pés *ligeiros* são o primeiro atributo da divindade).

3.

Erro de uma falsa causalidade. – Em todas as épocas acreditou-se saber o que é uma causa: Mas de onde retiramos nosso saber, mais precisamente, nossa crença de saber sobre algo? A partir do âmbito dos famosos "fatos internos", dos quais nenhum deles até agora se revelou como fato. Acreditávamos ser, nós mesmos, a causa em um ato de vontade; imaginávamos aí pelo menos *surpreender em ato* a causalidade. Não se duvidava, igualmente, que todos os *antecedentia* [antecedentes] de uma ação, suas causas, seriam procurados na consciência, e que nela se encontrariam novamente quando os procurassem – como "motivos": caso contrário, não se estaria livre *para realizá-la*, *para* responsabilizar-se pela ação. Por fim, quem teria discutido que um pensamento é causado? que o Eu causa o pensamento?... Desses três "fatos internos", com os quais a causalidade parecia garantida, a *vontade como causa* é o primeiro e mais convincente deles; a concepção de uma consciência ("espírito") como causa e, posteriormente, a concepção do Eu (do "sujeito") como causa nasceram tardiamente, unicamente depois que a causalidade foi estabelecida como dada pela vontade, como *empiria*... Enquanto isso, refletíamos melhor sobre as coisas. Hoje, não acreditamos em mais nenhuma palavra disso tudo. O "mundo interior" é cheio de ilusões e fogos-fátuos: a vontade é um deles. A vontade não movimenta mais nada, por consequência, também não explica mais nada – ela meramente acompanha os processos, podendo inclusive estar ausente. O assim denominado "motivo": outro erro. Um mero fenômeno de superfície da consciência, um acessório da ação, que antes encobre os *antecedentia* de uma ação do que os representa. E quanto ao Eu! Isso se tornou fábula, ficção, jogo de palavras: parou absolutamente de pensar, sentir e querer!... O que se segue daí? Não há de modo algum quaisquer causas espirituais. Toda pretensa empiria foi mandada ao diabo! *Isso* é o que resulta daí! – E nós tínhamos feito um gentil abuso com aquela "empiria", tínhamos *criado* um mundo por conta dela como mundo de causas, como mundo da vontade, como mundo de espíritos. A mais antiga e duradoura psicologia era aqui atuante, e não fez qualquer outra coisa: para ela, todo acontecer era um ato, todo ato a consequência de uma vontade, o mundo se tornou a ela uma multiplicidade de atos, e em todo acontecer atribuiu-se um agente (um "sujeito"). O ser humano projetou para fora de si seus três "fatos internos", aqueles em que acreditou mais firmemente, a vontade, o espírito, o Eu, – ele extraiu, em primeiro lugar, o conceito Ser a partir do conceito de Eu, estabeleceu as "coisas" como existentes segundo sua imagem, segundo seu conceito de Eu como causa. O que há de estranho se, mais tarde, sempre reencontrasse nas coisas apenas *o que tinha escondido nelas?* – A coisa mesma, para dizer mais uma vez, o conceito de coisa, mero reflexo da crença no Eu como causa... E inclusive vosso átomo, meus senhores mecanicistas e físicos, quanto erro, quanta rudimentar psicologia ainda resta em vosso átomo! – E isso pra não falar da "coisa em si", do *horrendum pudendum* [algo horroroso e vergonhoso] dos metafísicos! O erro do espírito como causa, confundido com a realidade! E convertido em medida da realidade! E denominado *Deus*! –

4.

Erro das causas imaginárias. – Para partir do sonho: a uma determinada sensação, por exemplo, em consequência de um distante disparo de canhão, imputa-se retrospectivamente uma causa (frequentemente todo um pequeno romance em que precisamente o sonhador é o personagem principal). Enquanto isso, a sensação perdura em uma espécie de ressonância: de certa forma, ela espera até que o impulso causador a permita ascender a primeiro plano, – doravante não mais como acaso, mas dotada de "sentido". O disparo de canhão se apresenta de uma maneira *causal*, em uma aparente inversão do tempo. O posterior, a motivação, é vivenciado primeiramente, com centenas de detalhes que atravessam como um relâmpago, o disparo vem depois... O que aconteceu? As representações que *geraram* uma condição determinada foram erroneamente interpretadas como causa dela. – De fato, fazemos a mesma coisa quando estamos despertos. A maioria dos nossos sentimentos gerais – toda espécie de inibição, pressão, tensão, explosão no jogo e contrajogo dos órgãos, como a particularidade do *nervus sympathicus* – estimula nosso impulso causal: queremos possuir uma *razão* para nos sentir *dessa e daquela forma*, – de nos sentirmos bem ou nos sentirmos mal. Nunca nos basta estabelecer o fato *de que* simplesmente sentimo-nos dessa e daquela forma: somente admitimos esse fato, tornamo-nos *consciente* dele –, *quando* o fornecemos uma espécie de motivação. – A recordação que, sem sabermos, entra em atividade em tais casos, faz emergir estados anteriores de igual espécie e, com isso, interpretações causais ligadas a eles, – *não* a causalidade dos mesmos. Certamente, a crença de que as representações, os processos conscientes concomitantes teriam sido as causas, também são suscitadas pela recordação. Dessa forma, surge um *hábito* em uma determinada interpretação causal que, na verdade, inibe e inclusive exclui uma *investigação* da causa.

5.

Explicação psicológica para isso. – Reconduzir algo desconhecido a algo conhecido acalma, tranquiliza, pacifica, fornece, além disso, um sentimento de poder. Com o desconhecido se é dado o perigo, a inquietude, a preocupação, – o primeiro instinto é direcionado para *eliminar* esses estados penosos. Primeiro princípio: qualquer explicação é melhor do que nenhuma. Pelo fato de que, no fundo, trata-se apenas de um querer livrar-se de representações opressoras, não se é precisamente rigoroso com os meios em liberar-se delas: a primeira representação com a qual o desconhecido é explicado como conhecido faz tão bem, que se a "toma por verdadeiro". Prova do *prazer* ("da força") como *Criterium* da verdade. – O impulso causal, portanto, é condicionado e suscitado pelo sentimento de medo. O "porquê?" deve fornecer, se for possível, nem tanto a causa por ela mesma, mas muito mais uma *espécie de causa* – uma causa que tranquilize, liberte, acalme. A primeira consequência dessa necessidade é que algo já *conhecido*, vivenciado, inscrito na recordação, é estabelecido como causa. O novo, o não vivenciado, o estranho é excluído como causa. – Não se busca, portanto, apenas uma espécie de explicações como causa, mas sim uma *espécie escolhida e preferida* de explicações, aquelas pelas quais o sentimento do estranho, novo, não vivenciado é eliminado de modo mais rápido e mais frequente, – as explicações *mais habituais*. – Consequência: uma forma de atribuição causal prepondera cada vez mais, concentra-se em um sistema e, por fim, destaca-se como *dominante*, ou seja, simplesmente excluindo *outras* causas e explicações. – O banqueiro pensa imediatamente no "negócio", o cristão no "pecado", a menina em seu amor.

6.

O âmbito inteiro da moral e religião está sob esse conceito de causas imaginárias. – "Explicação" dos sentimentos gerais *desagradáveis*. Estão condicionados por seres que nos são hostis (espíritos maus: o caso mais famoso – o equívoco em interpretar as histéricas como bruxas). Estão condicionados por ações que não são aprováveis (o sentimento do "pecado", de "pecaminosidade", imputado em um mal-estar fisiológico – encontram-se sempre razões para estar insatisfeito consigo). Estão condicionados como castigo, como pagamento por algo que não fizemos, por algo que não deveríamos ter *sido* (universalizado de forma impudente por Schopenhauer em uma proposição na qual a moral aparece como aquilo que ela é, vale dizer, como autêntica envenenadora e caluniadora da vida: "toda grande dor, seja corporal, seja espiritual, exprime o que merecemos; pois ela poderia não nos acometer, se não a merecêssemos". *O mundo como vontade e como representação*, 2, 666). Estão condicionados como consequências de ações irrefletidas, que decorreram de maneira ruim (– os afetos, os sentidos postos como causa, como "culpa"; as situações de necessidades fisiológicas interpretadas com auxílio de necessidades *diversas*, como "merecidas"). – "Explicação" dos sentimentos gerais *agradáveis*. Estão condicionados pela confiança em Deus. Estão condicionados pela consciência das boas ações (a assim denominada "boa consciência", um estado fisiológico que, por vezes, assemelha-se a uma feliz digestão que chega a se confundir com ela). Estão condicionados por resultados felizes nos empreendimentos (– ingênua falsa conclusão: o resultado feliz de um empreendimento não produz de modo algum sentimentos gerais agradáveis em um hipocondríaco ou em um Pascal). Estão condicionados pela crença, amor, esperança – as virtudes cristãs. – Na verdade, todas essas pretensas explicações são estados *consequentes* e, simultaneamente, traduções de sentimento de prazer ou desprazer em um dialeto falso: se está em condição de esperar, *porque* o sentimento fisiológico fundamental está novamente forte e rico; acredita-se em Deus, *porque* o sentimento de abundância e fortaleza fornece tranquilidade a alguém. – A moral e a religião estão completamente tomadas pela *psicologia do erro*: em cada caso particular, causa e efeito é confundido; ou a verdade é confundida com o efeito daquilo que é *acreditado* como verdadeiro; ou um estado da consciência é confundido com a causalidade desse estado.

7.

Erro da vontade livre. – Não temos mais hoje qualquer compaixão com o conceito de "vontade livre": apenas sabemos muito bem o que ele é – o artifício de pior reputação que existe dos teólogos, com a finalidade de tornar a humanidade "responsável" no sentido dos teólogos, isto é, *torná-la dependente deles*... Forneço aqui apenas a psicologia de toda imputação de responsabilidade. – Em toda parte onde foram buscadas responsabilidades, quem ali busca costuma ser o instinto de *querer punir e julgar*. Despojou-se o devir da sua inocência, quando o modo de ser assim e assado é remontado à vontade, às intenções, aos atos de responsabilidade: a doutrina da vontade foi essencialmente inventada com a finalidade de punir, isto é, de *querer encontrar um culpado*. Toda a antiga psicologia, a psicologia da vontade, tem seu pressuposto no fato de que seus autores, o sacerdote situado na ponta das antigas comunidades, quiseram criar para si um *direito* de infligir punições – ou quiseram criar Deus para tal direito... Os seres humanos foram pensados "livres" para poderem ser julgados, punidos, – para poderem se tornar *culpados*: por conseguinte, toda ação *tinha de* ser pensada como querida, e a origem de toda ação se situando na consciência (– com o qual a *mais fundamental* falsificação *in psychologicis* [em matérias psicológicas] foi convertida em princípio mesmo da psicologia...). Hoje, quando adentramos em um movimento *inverso*, quando especialmente nós imoralistas tentamos com todas as forças retirar novamente do mundo o conceito de culpa e o de castigo, bem como purificar deles a psicologia, a história, a natureza, as instituições e sanções sociais, não há diante de nossos olhos nenhum outro opositor mais radical do que os teólogos, que com o conceito de "ordenação moral do mundo" continuam a infectar a inocência do devir por meio de "castigo" e "culpa". O cristianismo é uma metafísica de carrasco...

8.

Qual pode ser unicamente *nossa* teoria? – Que ninguém *dá* ao ser humano suas características, nem Deus, nem a sociedade, nem seus pais e antepassados, nem *ele próprio* (– o absurdo da representação finalmente rejeitada aqui, foi ensinado por Kant, e talvez já também por Platão, como "liberdade inteligível"). *Ninguém* é responsável pelo fato de existir, por se constituir dessa ou daquela forma, por estar sob essas circunstâncias, nesse ambiente. A fatalidade do seu ser não pode ser desvinculada da fatalidade de tudo aquilo que foi e que será. Ele *não* é a consequência de uma intenção própria, uma vontade, uma finalidade, com ele *não* é feita a tentativa de alcançar um "ideal de ser humano" ou um "ideal de felicidade", ou um "ideal de moralidade", – é absurdo querer *rolar* seu ser em direção a qualquer finalidade. *Nós* inventamos o conceito "finalidade": na realidade [*Realität*] *falta* a finalidade... Se é necessário, se é um fragmento de destino, pertence-se ao todo, se *está* no todo, – não existe nada que pudesse julgar, medir, comparar, condenar nosso ser, pois isso significaria julgar, medir, comparar, condenar o todo... *Mas nada existe fora do todo!* – Que ninguém mais seja responsabilizado, que não seja mais lícito reconduzir o modo de ser a uma *causa prima*, que o mundo não seja uma unidade nem como *sensorium*, nem como "espírito", *somente isso é a grande libertação*, – somente com isso a *inocência* do devir é novamente restabelecida... O conceito "Deus" foi até agora a maior *objeção* contra a existência... Nós negamos a Deus, negamos a responsabilidade em Deus: somente *dessa forma* é que redimimos o mundo. –

Os "melhoradores" da humanidade

1.

Conhece-se minha exigência ao filósofo de colocar-se *para além* de bem e mal, – de que possua *abaixo* de si as ilusões do juízo moral. Essa exigência deriva de uma concepção [*Einsicht*] que foi formulada por mim pela primeira vez: *de que não existem absolutamente fatos morais*. O juízo moral tem em comum com o juízo religioso o fato de acreditar em realidades que não o são. Moral é apenas uma interpretação de certos fenômenos, falando de forma mais específica, uma interpretação *equivocada*. O juízo moral, assim como o religioso, pertence a um grau de ignorância em que ainda falta, ao próprio conceito de real, a distinção entre real e imaginário: de maneira que, em tais níveis, "verdade" designa coisas que hoje chamamos de "imaginações". O juízo moral, consequentemente, nunca tem de ser considerado literalmente: como tal, ele sempre contém apenas contrassensos. Permanece inestimável, porém, como *semiótica*: ele revela, pelo menos àquele que sabe, as mais valiosas realidades de culturas e interioridades que não *sabiam* o suficiente para poder "entender" a si mesmas. Moral é um mero falar em signos, mera sintomatologia: tem de se já saber *de que* se trata para tirar vantagem dela.

2.

Um primeiro exemplo e completamente provisório. Em todas as épocas se quis "melhorar" os seres humanos: sobretudo a isso se chamou moral. Mas sob a mesma palavra escondem-se todas as tendências mais diversas. Tanto a *domesticação* [*Zähmung*] da besta homem quanto o *cultivo* [*Züchtung*] de uma determinada espécie de ser humano foi denominado de "melhoramento": somente esses *termini* zoológicos já exprimem realidades, - realidades, todavia, sobre as quais o típico "melhorador", o sacerdote, não sabe nada - não *quer* saber nada... Denominar de "melhoramento" a domesticação de um animal é, aos nossos ouvidos, quase uma piada. Quem sabe o que acontece nas *menageries* duvida que nelas a besta seja "melhorada". Ela é enfraquecida, tornada menos prejudicial, e por meio do afeto depressivo do medo, por meio da dor, por meio das feridas, por meio da fome, converte-se em besta *doente*. - Não ocorre de outra maneira com o ser humano domesticado que o sacerdote "melhorou". Na Alta Idade Média, quando sobretudo a Igreja era efetivamente uma *menagerie*, dava-se à caça em todas as partes os mais belos exemplares da "besta loura", - "melhorou-se", por exemplo, o nobre Germano. Mas que aspecto tinha esse Germano "melhorado", seduzido para o interior do mosteiro? Como uma caricatura de ser humano, como um aborto: foi convertido em "pecador", enjaulado, tinha-o encarcerado entre os mais terríveis conceitos... Ali então jazia, doente, miserável, maldisposto consigo mesmo; cheio de ódio contra os impulsos de vida, cheio de desconfiança contra tudo o que ainda era forte e feliz. Em resumo, um "cristão"... Falando fisiologicamente: no combate com a besta, o tornar-doente pode ser o único meio de enfraquecê-la. Isso a Igreja entendeu: ela *arruinou* o ser humano, enfraqueceu-o, - reivindicou, porém, tê-lo "melhorado"...

3.

Tomemos o outro caso da assim denominada moral, o caso do *cultivo* de uma determinada raça e espécie. O exemplo mais grandioso para isso é oferecido pela moral indiana, sancionada na religião como "Lei de Manu". Aqui é colocada a tarefa de cultivar não menos do que quatro raças de uma só vez: uma sacerdotal, uma guerreira, uma de comerciante e agricultores e, por fim, uma raça de servidores, os Sudras. Evidentemente, não estamos mais aqui entre domadores de animais: o pressuposto para apenas conceber o plano de tal cultivo é uma espécie de ser humano cem vezes mais branda e racional. Ao sair do ar cristão, um ar doentio e de cárcere, respira-se aliviado quando se entra nesse mundo mais saudável, mais elevado, *mais vasto*. Quão miserável é o "Novo Testamento" em confronto com Manu, como cheira mal! – Mas essa organização também tinha necessidade de ser *terrível* – dessa vez, não em combate com a besta, mas com seu contraconceito, o ser humano do não cultivo, o ser humano-mestiço, o Chandala. E, novamente, essa organização não tinha outro meio de convertê-lo em inofensivo, fraco, a não ser tornando-o *doente*, – era o combate contra o "grande número". Talvez não exista nada que mais contradiga nossos sentimentos do que *essas* regras preventivas da moral indiana. O terceiro edito, por exemplo (Avadana-Sastra I), aquele "dos legumes impuros", ordena que o único alimento permitido ao Chandala deve ser o alho e a cebola, atentando-se ao fato de que a Sagrada Escritura proíbe dar a eles grão ou frutos que tenham grãos, ou *água* ou fogo. O mesmo edito estabelece que a água de que necessitam não deveria ser retirada nem dos rios, nem das fontes, nem dos lagos, mas somente dos acessos aos pântanos e buracos produzidos pelas pisadas dos animais. Da mesma maneira, são proibidos de lavar suas roupas e de *lavar a si mesmos*, visto que a água que lhes é concedida por graça somente deve ser utilizada para matar a sede. Por fim, uma proibição às mulheres Sudras de auxiliar as mulheres Chandalas durante o parto, e outro igualmente a essas últimas de *auxiliarem-se reciprocamente*... – O sucesso de tal polícia sanitária não deixou de chegar: epidemias mortíferas, doenças sexuais horríveis e, por conta disso, novamente a "lei da faca", ordenando a circuncisão aos meninos e a amputação dos pequenos lábios às meninas. – O próprio Manu diz: "os Chandalas são frutos do adultério, incesto e crime (– esta é a consequência *necessária* do conceito de cultivo). Devem ter por roupas apenas os farrapos de cadáveres; por louças, as panelas quebradas; por adorno, ferro velho; por culto religioso, apenas os maus espíritos; devem vagar sem descanso de um lado ao outro. É proibido a eles escrever da esquerda à direita, bem como utilizar a mão direita para escrever: o uso da mão direita e da escritura da esquerda à direita é reservado unicamente aos *virtuosos*, às pessoas de *raça*". –

4.

Estas disposições são suficientemente instrutivas: nelas temos, por um lado, a humanidade *ariana* [*arische Humanität*], perfeitamente pura, perfeitamente originária, – aprendemos que o conceito "sangue puro" é o contrário de um conceito inofensivo. Por outro lado, fica claro *em qual* povo o ódio, o ódio do Chandala contra essa "humanidade", eternizou-se, e onde ele se tornou religião, onde se tornou *gênio*... Sob esse ponto de vista, os evangelhos são documento de primeira ordem; principalmente o Livro de Enoque. – O cristianismo, oriundo da raiz judaica e somente compreensível como planta desse solo, representa o *contramovimento* a toda moral do cultivo, da raça, do privilégio: – ele é a religião *antiariana par excellence*: o cristianismo, a transvaloração de todos os valores arianos, a vitória dos valores Chandalas, o Evangelho pregado aos pobres, aos humildes, a rebelião global de todos os pisoteados, miseráveis, malsucedidos, enjeitados, contra a "raça", – a vingança imortal dos Chandalas como *religião do amor*...

5.

A moral do *cultivo* e a moral da *domesticação* são perfeitamente dignas uma da outra, nos meios de se imporem: podemos estabelecer como proposição que, para *tornar* moral, tem de se possuir a vontade incondicional ao contrário. Este é o grande problema, o *inquietante* problema que persegui por mais longo tempo: a psicologia dos "melhoradores" da humanidade [*Menschheit*]. Um pequeno e, no fundo, modesto fato, a assim denominada *pia fraus* [mentira piedosa], forneceu-me o primeiro acesso a esse problema: a *pia fraus*, o patrimônio hereditário de todos os filósofos e sacerdotes que "melhoraram" a humanidade. Nem Manu, nem Platão, nem Confúcio, nem os mestres judeus e cristãos duvidaram alguma vez do seu *direito* à mentira. Não duvidaram de *direitos totalmente distintos*... Expresso em fórmula, é lícito dizer: *todos* os meios através dos quais a humanidade teve de se tornar moral foram fundamentalmente *imorais*. –

O que os alemães estão perdendo

1.

Entre os alemães hoje não é suficiente ter espírito: é preciso ainda tomar-se, *arrogar-se* espírito...

Talvez eu conheça os alemães, talvez me seja lícito dizer algumas verdades a eles. A nova Alemanha representa um grande *quantum* de habilidade herdada e aprendida, de modo que ainda pode gastar perdulariamente e por muito tempo o tesouro de forças acumulado. *Não* foi uma cultura elevada que predominou com ela, muito menos um gosto delicado, uma "beleza" nobre de instintos; mas virtudes *mais viris* do que qualquer outro país da Europa possa mostrar. Muito bom ânimo e respeito por si mesma, muita segurança nas relações, na reciprocidade de deveres, muito trabalho, muita constância – e uma moderação hereditária que mais precisa de estímulo do que impedimento. Acrescento que aqui ainda se obedece sem que a obediência humilhe... E ninguém despreza seu adversário...

Bem se vê que meu desejo é ser justo com os alemães: não gostaria de ser infiel comigo mesmo neste aspecto, – mas tenho que fazer-lhes, portanto, minha objeção. Paga-se caro por chegar ao poder: o poder *embrutece*... Os alemães – uma vez foram chamados de povo de pensadores: Ainda pensam hoje? – Os alemães agora se entediam com o espírito, os alemães desconfiam agora do espírito, a política devora toda seriedade para com as coisas efetivamente espirituais – "*Deutschland, Deutschlandüber Alles*", temo que isso tenha sido o fim da filosofia alemã... "Existem filósofos alemães? Existem poetas alemães? Existem *bons* livros alemães?", questionam-me no estrangeiro. Eu enrubesço, mas com a valentia que me é própria também em casos desesperados, respondo: "Sim, *Bismarck!*" – Poderei eu também apenas admitir quais livros são lidos hoje?... Maldito instinto de mediocridade! –

2.

– O que o espírito alemão *poderia* ser, quem já não teve seus pensamentos melancólicos sobre isso! Mas esse povo embruteceu-se voluntariamente há quase um milênio: em nenhum outro lugar mais se abusou viciosamente dos dois maiores narcóticos europeus, o álcool e o cristianismo. Ultimamente, acrescentou-se ainda um terceiro, que por si só já pode arruinar toda sutil e audaz mobilidade do espírito, a música, nossa congestionada e congestionante música alemã. – Quanto peso enfadonho, debilidade, umidade, roupão, quanta *cerveja* existe na inteligência alemã! Como é verdadeiramente possível que homens jovens que dedicam sua existência aos objetivos mais espirituais não sintam em si mesmos o primeiro instinto da espiritualidade, *o instinto de autoconservação do espírito* – e bebam cerveja?... O alcoolismo da juventude erudita talvez ainda não seja um ponto de interrogação em relação a sua erudição – mesmo sem espírito se consegue ser um grande erudito –, mas em todos os outros aspectos ele permanece um problema. – Onde não se a encontraria, essa branda degeneração que a cerveja produz no espírito! Certa vez, em um caso que quase se tornou famoso, coloquei o dedo em tal degeneração – a degeneração do nosso primeiro livre-pensador alemão, o *inteligente* David Strauss, convertido em autor de um evangelho de cervejaria e de uma "nova fé"... Não em vão que ele tinha feito em versos sua promessa à "amável morena" – fidelidade até a morte...

3.

– Eu falei do espírito alemão: do fato que se torna mais grosseiro, que se superficializa. Isso é o bastante? – No fundo, o que me espanta é algo completamente diverso: como vai declinando cada vez mais a seriedade alemã, a profundidade alemã, a *paixão* alemã em coisas espirituais. O *pathos* se modificou, não somente a intelectualidade. – Vez ou outra, tenho contato com universidades alemãs: que ambiente reina entre seus eruditos, que espiritualidade monótona, despretensiosa, morna. Seria um profundo mal-entendido se aqui quisessem me fazer objeções por meio da ciência alemã – e, além disso, a prova de que não se leu sequer uma palavra minha. Por dezessete anos não me cansei de lançar luz sobre a influência *desespiritualizante* da nossa atual atividade científica. O duro hilotismo ao qual a imensa extensão de ciências condena hoje cada indivíduo é a razão principal para que naturezas de constituição mais plenas, mais ricas, *mais profundas* não encontrem mais nenhuma educação *e educadores* adequados a elas. De nada *mais* sofre nossa cultura a não ser do excesso de preguiçosos arrogantes e humanidades fragmentárias; nossas universidades são, *a contragosto*, autênticas estufas para essa espécie de atrofia do instinto do espírito. E a Europa inteira já tem uma ideia disso – a grande política não engana a ninguém... A Alemanha é considerada cada vez mais como a *planície* da Europa. – Ainda *procuro* por um alemão com o qual *eu* pudesse ser sério à minha maneira, – e procuro ainda mais por um com quem me fosse permitido ser jovial! *Crepúsculo dos ídolos*: ah, quem compreenderia hoje de *que espécie de seriedade* um eremita aqui se recupera! – A jovial serenidade é o que há de mais incompreensível em nós...

4.

Faça-se um cálculo aproximado: não apenas é palpável que a cultura alemã vem declinando, como também não falta razão satisfatória para isso. Ninguém, em última instância, pode gastar mais do que possui – isso vale aos indivíduos, isso vale aos povos. Dedicando-se ao poder, à grande política, à economia, comércio mundial, parlamentarismo, interesses militares, – dissipa-se para *esse* lado um *Quantum* de entendimento, seriedade, vontade, autossuperação que se é, de modo que falta para o outro lado. A cultura [*Cultur*] e o Estado – e não se engane neste ponto – são antagonistas: "Estado de cultura" é uma mera ideia moderna. Um vive do outro, um prospera à custa do outro. Todas as grandes épocas da cultura são épocas de declínio político: o que é grande no sentido da cultura foi apolítico, inclusive *antipolítico*. – O coração de Goethe se abriu frente o fenômeno Napoleão, – frente as "guerras de libertação"... No mesmo instante em que a Alemanha ascende como potência política, a França conquista uma importância transformada como *potência cultural*. Já hoje muita nova seriedade, muita nova *paixão* do espírito se transfere para Paris; a pergunta do pessimismo, por exemplo, a pergunta de Wagner, quase todas as perguntas psicológicas e artísticas são ponderadas de forma incomparavelmente mais sutil e precisa do que na Alemanha, – os alemães são propriamente *incapazes* dessa espécie de seriedade. – Na história da cultura europeia, a ascensão do *Reich* significa sobretudo uma coisa: um *deslocamento do centro de gravidade*. Em toda parte já se sabe disso: no principal – e a cultura permanece o principal – os alemães já não são mais levados em conta. Pergunta-se: Podeis indicar ainda somente um espírito que *conte* para a Europa? como contava vosso Goethe, vosso Hegel, vosso Heinrich Heine, vosso Schopenhauer? – Que não exista mais um único filósofo alemão, eis um espanto que não tem fim. –

5.

O foco principal está desviado em todo sistema de educação superior na Alemanha: tanto na *finalidade* quanto nos *meios* à finalidade. Esqueceu-se que educação, *formação* [*Bildung*] é propriamente a finalidade – e não "o *Reich*" –, esqueceu-se que para essa finalidade são necessários *educadores* – e *não* de professores ginasiais e eruditos de universidade – ... Necessita-se de educadores que sejam *eles mesmos educados*, de espíritos superiores, nobres, provados a cada momento, provados pela palavra e pelo silêncio, de culturas que se tornaram maduras, *doces*, – e *não* de eruditos grosseiros que ginásio e universidade hoje ofertam à juventude. Descontando-se a exceção das exceções, *faltam* educadores, o *primeiro* pressuposto da educação: *por isso* o declínio da cultura alemã. – Uma dessas raríssimas exceções é meu venerado amigo Jakob Burckhardt na Basileia: em primeiro lugar, é a ele que Basileia deve sua supremacia em humanidade. – O que as "escolas superiores" alcançaram efetivamente na Alemanha foi um adestramento brutal para que, no menor tempo possível, tornar úteis, *utilizáveis* um grande número de jovens a serviço do Estado. "Educação superior" e *grande número* – contradizem-se reciprocamente de antemão. Toda educação superior pertence apenas à exceção: é preciso ser privilegiado para possuir o direito a um privilégio tão elevado. Todas as coisas grandes e belas nunca podem ser um bem comum: *pulchrum est paucorum hominum* [o belo é para poucas pessoas]. – O que *condiciona* o declínio da cultura alemã? O fato de que "educação superior" não é mais nenhum *privilégio* – o democratismo da "formação" [*Bildung*] convertido em universal, convertido em *vulgar*... Não se esqueça que os privilégios militares impõem formalmente uma *superlotação* das escolas superiores, ou seja, impõem sua ruína. – Na Alemanha de hoje, ninguém mais está livre de fornecer a seus filhos uma educação nobre: nossas escolas "superiores", todas elas, estão direcionadas para a mediocridade mais ambígua, com mestres, com os planos de ensino, com as metas de ensino. Em toda parte impera uma pressa indecente, como se algo fosse perdido se um jovem homem de 23 anos ainda não esteja "pronto", ainda não saiba a resposta para a "pergunta principal": *Qual* profissão? – Uma espécie superior de ser humano, com o perdão da palavra, não ama as "profissões", precisamente porque se sabe vocacionado... Para isso é preciso tempo, toma-se tempo, e não pensa absolutamente em ficar "pronto", – aos 30 anos, no sentido de uma cultura superior, ainda se é um iniciante, uma criança. – Nossos ginásios superlotados, nossos professores ginasiais sobrecarregados, convertidos em estúpidos, são um escândalo: para defender essas situações, como agora mesmo o fizeram os professores de Heidelberg, para isso talvez se tenham *causas* – mas razões não existem para isso.

6.

– Para não me apartar do meu modo de ser, que é *afirmativo* e apenas indireta e involuntariamente tem a ver com a contradição e a crítica, apresento a seguir três tarefas para as quais se precisam de educadores. É preciso aprender a *ver*, é preciso aprender a *pensar*, é preciso aprender a *falar* e *escrever*: a meta nas três tarefas é uma cultura nobre. – Aprender a *ver* – acostumar o olho à calma, à paciência, a permitir que as coisas se nos aproximem; aprender a protelar o juízo, a circunscrever e conceber os casos particulares por todos os lados. Essa é a *primeira* propedêutica à espiritualidade: *não* reagir imediatamente a um estímulo, mas sim tomar gosto pelos instintos inibidores, pelos instintos que sabem separar. Aprender a *ver*, conforme eu o entendo, é quase aquilo que o modo não filosófico de falar denomina de vontade forte: o essencial nisso é precisamente *poder não* "querer", *poder* suspender a decisão. Toda não espiritualidade [*Ungeistigkeit*], toda vulgaridade assenta-se na incapacidade de produzir resistência a um estímulo – *tem de* reagir, deixar-se levar por cada impulso. Em muitos casos, esse tem-de [*Müssen*] já é algo doentio, um declínio, sintoma de esgotamento – quase tudo o que o jeito não filosófico de falar designa por "vício" é a mera incapacidade fisiológica de *não* reagir. – Uma aplicação prática do ter-aprendido-a-ver: Como *discente* [*Lernender*], terá se tornado lento, desconfiado, resistente. No início deixará que o estranho, o *novo* de toda espécie se lhe acerque com calma hostil, – não retirará dali suas mãos. O deixar aberto todas as portas, o ajoelhar-se serenamente diante de cada pequeno fato, o estar disposto a lançar-se a todo instante, o *expor-se* a tudo e a todos, em suma, a famosa "objetividade" moderna é mau gosto, é o *não nobre par excellence*. –

7.

Aprender a *pensar*: não se tem mais nenhuma ideia do que seja isso em nossas escolas. Mesmo nas universidades, e até mesmo entre os genuínos eruditos da filosofia, a lógica como teoria, como prática, como *ofício*, começa a definhar. Leia-se os livros alemães: já não existe nem a mais distante recordação do fato de que para pensar é preciso uma técnica, de um plano de ensino, de uma vontade para a maestria, –

que o pensar quer ser aprendido tal como o dançar quer ser aprendido - *como* uma espécie de dança... Entre os alemães, quem ainda conhece por experiência aquele sutil arrepio que os *pés ligeiros* nas coisas espirituais derrama nos músculos! - A rígida grosseria no gesto espiritual, a mão *rude* no apanhar - isso é em tal grau alemão que no estrangeiro confunde-se isso com a essência alemã em geral. O alemão não possui *dedos* para nuanças... O fato de que os alemães conseguiram apenas suportar seus filósofos, sobretudo aquele coxo mais deformado do conceito que já existiu, o *grande* Kant, fornece uma noção nada pequena da graça alemã. - Não se pode retirar de uma *educação nobre* precisamente o *dançar* em todas as suas formas, poder dançar com os pés, com os conceitos, com as palavras; ainda teria que dizer, que também temos de poder dançar com a *pena* - que se tem de aprender a *escrever*? - Mas nesse momento me tornaria um completo enigma aos leitores alemães...

Incursões de um extemporâneo

1.

Meus impossíveis. – *Sêneca*: ou o toureador da virtude. – *Rousseau*: ou o retorno à natureza *in impuris naturalibus*. – *Schiller*: ou o trombeteiro moral de Säckingen. – *Dante*: ou a hiena que *faz poesias* nos túmulos. – *Kant*: ou cant como caráter inteligível. – *Victor Hugo*: ou o farol no mar do sem sentido. – *Liszt*: ou a escola da agilidade – com mulheres. – *Georg Sand*: ou *lacte aubertas*, em alemão: a vaca leiteira com "belo estilo". – *Michelet*: ou o entusiasmo que tira o casaco... *Carlyle*: ou o pessimismo como almoço maldigerido. – *John Stuart Mill*: ou a claridade ofensiva. – *Les frères de Goncourt*: ou os dois Ajaxes em combate com Homero. Música de Offenbach. – *Zola*: ou "a alegria de feder". –

2.

Renan. – Teologia, ou a corrupção da razão por meio do "pecado original" (o cristianismo). Testemunho, Renan, que com penosa regularidade erra o alvo, tão logo arrisque alguma vez um Sim ou Não de maneira mais geral. Ele gostaria, por exemplo, de ligar *la science* e *la noblesse* em uma só coisa: mas *la science* pertence à democracia, e isso é algo que bem se apalpa. Ele deseja, não sem pouca ambição, representar um aristocratismo do espírito: simultaneamente, porém, põe-se de joelhos e não apenas de joelhos diante da doutrina contrária, diante do *évangile des humbles* [evangelho dos humildes]... De que adianta toda liberdade de espírito, modernidade, sarcasmo e flexibilidade em mudar de perspectiva [*Wendehals-Geschmeidigkeit*], se em suas vísceras ainda se permanece cristão, católico e até mesmo sacerdote! Tal como um jesuíta e confessor, Renan tem sua inventividade na sedução; não falta em sua espiritualidade aquele largo sorriso de satisfação dos padrecos, – como todo sacerdote, fica perigoso somente quando ama. Na maneira mortalmente perigosa de rezar, ninguém se iguala a ele... Esse espírito de Renan, um espírito que *enerva*, é uma fatalidade a mais para a França pobre, doente, doente da vontade. –

3.

Saint-Beuve. – Nada tem de masculino; cheio de uma pequena raiva contra todo espírito viril. Vagueia ali e acolá, sutil, curioso, entediado, auscultante, – no fundo, uma mulher com sede de vingança feminina e sensualidade feminina. Como psicólogo, um gênio da *médisance* [maledicência]; inesgotavelmente rico nos meios para isso; ninguém entende melhor que ele em misturar veneno com um elogio. Plebeu nos instintos mais baixos, bem como aparentado ao *ressentiment* de Rousseau: *portanto*, romântico – pois sob todo *romantisme* [romantismo], grunhe e anseia o instinto de Rousseau por vingança. Revolucionário, mas ainda refreado por um medo admissível. Sem liberdade diante do que possui força (opinião pública, academia, corte, inclusive Port Royal). Irritado contra tudo o que há de grande no ser humano e nas coisas, contra tudo que acredita em si mesmo. Poeta e meio-afeminado o suficiente para sentir a grandeza como poder; constantemente curvado como aquele famoso verme, pois constantemente se sente pisado. Como crítico, sem qualquer critério, apoio e espinha dorsal, com a língua do *libertin* cosmopolita para diversas coisas, mas sem a coragem própria para a confissão da *libertinage*. Como historiador, sem filosofia, sem o *poder* do olhar filosófico, – por isso rejeitando a tarefa de julgar em todas as questões principais, apresentando a "objetividade" como máscara. Diversamente se comporta em relação a todas as coisas em que um gosto sutil, perspicaz, é a instância suprema: nisso ele tem efetivamente a coragem de ser ele mesmo, o prazer por si mesmo, – nisso ele é *mestre*. – Em alguns aspectos uma forma antecipada de Baudelaire. –

4.

A *Imitatio Christi* [Imitação de Cristo] é um daqueles livros que, não sem uma resistência fisiológica, consigo ter em mãos: eles exalam um perfume típico do eterno feminino, para o qual já se tem de ser francês – ou wagneriano... Esse santo tem uma maneira de falar do amor que até mesmo as parisienses ficam curiosas. – Dizem-me que aquele *mais inteligente* jesuíta, A. Comte, que queria conduzir seus franceses para Roma pelo *desvio* da ciência, teria se inspirado nesse livro. Eu acredito: "a religião do coração"...

5.

G. Eliot. Desprenderam-se do Deus cristão e acreditam tanto mais ter de conservar a moral cristã: essa é uma consequente dedução *inglesa*, e não queremos levá-la a mal nas femeazinhas morais *à la* Eliot. Na Inglaterra, para toda pequena emancipação da teologia, é preciso reabilitar-se como fanático moral de uma maneira aterradora. Isso é a *penitência* que ali se paga. – Para nós acontece diversamente. Quando se abandona a fé cristã, retira-se também o *direito* à moral cristã. Isso *não* é de maneira alguma algo evidente: é preciso que se ponha sempre esse ponto em evidência, apesar da inteligência superficial dos ingleses. O cristianismo é um sistema, uma visão coerente e *global* das coisas. Ao se retirar dele um conceito central, a crença em Deus, então se rompe com isso também o todo: já não se tem nada mais necessário entre os dedos. O cristianismo pressupõe que o ser humano não saiba, não *possa* saber, o que é o bem e o que é o mal para ele: ele acredita em Deus, que é o único que sabe. A moral cristã é um mandamento; sua origem é transcendente; ela está para além de qualquer crítica, de todo direito à crítica; ela só possui a verdade, caso Deus seja a verdade, – sustenta-se e desmorona com a fé em Deus. – Se os ingleses efetivamente acreditam saber por si mesmos, "intuitivamente", o que é o bem e o mal, presumem-se, consequentemente, não ter mais necessidade do cristianismo como garantia da moral, então justamente isso já é mera *consequência* do domínio do juízo de valor cristão, bem como expressão da *força* e da *profundidade* desse domínio: de tal modo que se tenha esquecido a origem da moral inglesa, de tal modo que não seja percebido seu tão condicionado direito à existência. Para os ingleses, a moral ainda não é nenhum problema...

6.

Georg Sand. – Li as primeiras *lettres d'un voyageur* [cartas de um viajante]: falsas, refeitas, como um fole cheio de vento, exageradas, como tudo o que vem de Rousseau. Não suporto esse estilo multicolorido de tapeçaria; e muito menos a ambição plebeia por sentimentos generosos. O pior, certamente, continua sendo a coqueteria feminina com aspectos masculinos, com maneiras de jovens mal-educados. – Quão fria deve ter sido em tudo isso essa artista insuportável!

Dava corda em si mesmo como um relógio – e escrevia... Tão logo fizesse poesia, era fria como

Hugo, como Balzac, como todos os românticos! E com quanta presunção não deve ter continuado a assim proceder, essa fecunda vaca de escrita, que tinha em si algo de alemão no pior sentido, tal como o próprio Rousseau, seu mestre, e que só foi possível, de qualquer modo, com o declínio do gosto francês! – Mas Renan a venerava...

7.

Moral para psicólogos. – Não praticar psicologia de manual! Nunca observar *por* observar! Isso dá uma falsa ótica, um olhar de soslaio, algo forçado e exagerado. Vivenciar como um *querer* vivenciar – isso não funciona. Não é *lícito* olhar para si na vivência, qualquer olhar assim se converte em "mau olhar". Um psicólogo nato guarda-se instintivamente de ver por ver; o mesmo é válido ao pintor nato. Ele nunca trabalha "segundo a natureza", – relega aos seus instintos, sua *câmera obscura*, o crivar e o exprimir o "caso", a "natureza", o "vivenciado"... Só o que é *geral* ascende à consciência, a conclusão, o resultado: ele não conhece aquela abstração arbitrária do caso particular. – O que resulta quando se comporta de modo diverso? Por exemplo, quando se exercita psicologia de manual segundo a maneira dos grandes e pequenos *romanciers* parisienses? *Isso* faz esperar por realidade, *isso* faz levar toda noite pra casa a mão cheia de curiosidades... Mas apenas veja o que finalmente resultaria disso – um monte de manchas, um mosaico no melhor dos casos e, em cada caso, qualquer coisa de adicionado conjuntamente, de inquieto, de cores estridentes. O pior disso tudo alcançam os Goncourt: eles não compõem três frases que simplesmente não causem dor ao olho, ao olho de um *psicólogo*. – Estimada artisticamente, a natureza não é qualquer modelo. Ela exagera, desfigura, deixa lacunas. A natureza é o *acaso*. O estudo "segundo a natureza" me parece um signo ruim: revela submissão, fraqueza, fatalismo, - esse ajoelhar-se diante dos *petits faits* é indigno de um artista *completo*. Ver *o que é* - isso pertence a uma espécie diversa de espíritos, aos *antiartísticos*, àqueles que são dados aos fatos. É preciso saber *quem* se é...

8.

Sobre a psicologia de artistas. - Para que exista arte, para que exista qualquer agir e contemplar estéticos, é indispensável uma precondição fisiológica: a *embriaguez*. A embriaguez, primeiramente, tem de haver intensificado a excitabilidade de toda máquina: antes disso não se chega a qualquer arte. Todas as espécies de embriaguez, ainda que tão diversamente condicionadas, têm força para isso: sobretudo a embriaguez da excitação sexual, essa forma mais antiga e originária de embriaguez. E do mesmo modo a embriaguez que ocorre em consequência de todos os grandes desejos, todos os afetos fortes; a embriaguez da festa, da competição, da peça de bravura, da vitória, de todo movimento extremo; a embriaguez da crueldade; a embriaguez da destruição; a embriaguez de certos influxos meteorológicos, por exemplo, a embriaguez primaveril; ou por influência de narcóticos; por fim, a embriaguez da vontade, a embriaguez de uma vontade sobrecarregada e intumescida. - O essencial na embriaguez é o sentimento de intensificação de força e abundância. A partir desse sentimento doa-se às coisas, *coage-se* para que elas extraiam de nós, violenta-as - esse processo se chama *idealizar*. Livremo-nos aqui de um preconceito: o idealizar *não* consiste, como comumente se acredita, em subtrair ou descontar o pequeno, o acessório. Decisivo é muito mais um gigantesco *expelir* os traços principais, de modo que outros desapareçam sobre eles.

9.

Nesse estado, todas as coisas se enriquecem a partir da sua própria abundância: o que se vê, o que se quer, vê-se intumescido, espremido, forte, sobrecarregado de força. O ser humano desse estado transforma as coisas até que elas reflitam seu poder, – até que sejam reflexos da sua perfeição. Esse *ter de* transformar [*Verwandeln-müssen*] em perfeição é – arte. Tudo o que ele inclusive não é se converte, apesar disso, em um prazer em si mesmo; na arte, o ser humano desfruta de si mesmo como perfeição. – Seria permitido imaginar um estado contrário, uma antiartisticidade específica do instinto, – uma maneira de ser que empobrecesse, diluísse, tornasse tísica todas as coisas. E, de fato, a história é rica de tais antiartistas, de tais famintos de vida: os quais, por necessidade, têm ainda de acolher em si todas as coisas, consumi-las, torná-las *mais magras*. Esse é o caso, por exemplo, do autêntico cristão, de Pascal, por exemplo: *não existe* um cristão que fosse simultaneamente artista... Não se seja pueril e mencione a mim Rafael ou qualquer outro cristão homeopático do século XIX: Rafael disse sim, Rafael *fez* sim, consequentemente, Rafael não era cristão...

10.

O que significa a oposição conceitual *apolíneo* e *dionisíaco* introduzida por mim na estética, compreendida como espécies de embriaguez? – A embriaguez apolínea mantém excitado sobretudo o olho, de modo a receber a força da visão. O pintor, o escultor, o poeta épico são visionários *par excellence*. No estado dionisíaco, ao contrário, é excitado e intensificado o sistema afetivo completo: de modo que descarrega de uma vez só todos seus meios de expressão e, simultaneamente, expele as forças de representação, de reproduzir, de transfigurar, de transformar, toda espécie de mímica e teatralidade. O essencial permanece ainda a leveza da metamorfose, a incapacidade de *não* reagir (– semelhante como ocorre em certos histéricos, que a qualquer aceno assumem *qualquer* papel). É impossível ao ser humano dionisíaco não entender uma sugestão qualquer, não deixa passar nenhum signo de afeto, possui o mais alto grau de instinto para entendimento e adivinhação, assim como possui o mais alto grau na arte de comunicação. Ele penetra em qualquer pele, em qualquer afeto: transforma-se constantemente. – A música, tal como hoje a entendemos, é igualmente uma excitação e descarga global de afetos, entretanto, é somente o resíduo de um mundo expressivo muito mais cheio de afeto, um mero *residuum* do histrionismo dionisíaco. Para possibilitar a música como arte particular, imobilizou-se um grande número de sentidos, sobretudo o sentido muscular (pelo menos relativamente: pois, em certo grau, todo ritmo ainda fala aos nossos músculos): de modo que o homem já não mais imita e representa, de imediato e corporalmente, tudo o que sente. Entretanto, *esse* é o autêntico estado dionisíaco normal e, em todo caso, o estado primordial; a música é a especificação lentamente alcançada desse estado, às custas das faculdades que lhe são aparentadas.

11.

O ator, o mímico, o dançarino, o músico, o lírico, são fundamentalmente aparentados em seus instintos e são em si uma unidade, mas gradativamente especializados e separados uns dos outros – até chegar inclusive à contradição. O lírico permaneceu por mais tempo unido com o músico; o ator com o dançarino. – O *arquiteto* não representa nem um estado dionisíaco, nem um estado apolíneo: aqui é o grande ato da vontade, a vontade que move montanhas, a embriaguez da grande vontade, que anseia por arte. Os mais poderosos seres humanos sempre inspiraram os arquitetos; o arquiteto esteve continuamente sob a sugestão do poder. Na construção deve ser visível o orgulho, a vitória sobre a gravidade, a vontade de poder [*Wille zur Macht*]; a arquitetura é uma espécie de eloquência do poder em formas, por vezes persuadindo, inclusive lisonjeando, por vezes apenas ordenando. O sentimento supremo de poder e segurança encontra expressão naquilo que tem *grande estilo*. O poder que não necessita mais de nenhuma prova; que desdenha agradar; que dificilmente responde; que não sente testemunha em torno de si; que vive sem a consciência de que exista contradição contra ele; que descansa *em si mesmo*, fatalista, uma lei entre leis: *isso* fala de si mesmo como grande estilo. –

12.

Eu li sobre a vida de *Thomas Carlyle*, essa *farce* [farsa] inconsciente e involuntária, essa interpretação heroico-moral de estados dispépticos. – Carlyle, de palavras e atitudes fortes, um retor por *necessidade*, constantemente atormentado pelo anseio por uma fé forte *e* o sentimento de incapacidade para possuí-la (– e, nisto, um típico romântico!) O anseio por uma fé forte *não* é a prova de uma fé forte, muito mais o seu oposto. *Ao possuí-la*, então é lícito que se conceda o luxo do ceticismo: se está suficientemente seguro, suficientemente firme, suficientemente engajado para possuí-la. Carlyle entorpece algo em si por meio do *fortíssimo* da sua veneração pelos seres humanos de fé forte, bem como por meio da sua ira contra os menos simplórios: ele *necessita* de barulho. Uma constante e passional *improbidade* [*Unredlichkeit*] para consigo – isso é seu *proprium*, com isso ele é e permanece interessante. – Na Inglaterra, ele é certamente admirado precisamente por causa da sua probidade [*Redlichkeit*]... Mas isso é inglês; e levando em consideração que os ingleses são o povo do perfeito cant, então isso não apenas é compreensível, como inclusive razoável. No fundo, Carlyle é um ateu inglês que busca sua honra em *não* o ser.

13.

Emerson. – Bem mais esclarecido, errante, múltiplo, refinado do que Carlyle, sobretudo mais feliz... Alguém que instintivamente se nutre unicamente de ambrosia, que deixa para trás aquilo que é indigerível nas coisas. Em confronto com Carlyle, um homem de gosto. – Carlyle, que muito o amava, disse todavia sobre ele: "não *nos* dá o suficiente para morder": algo que pode ser dito com direito, mas não em detrimento de Emerson. – Emerson tem aquela jovial serenidade amável e espiritualmente rica, que desencoraja toda seriedade; não sabe absolutamente quão velho já é e quão jovem ainda será, – com uma palavra de Lope de Vega, poderia dizer sobre si mesmo: "*yo me sucedo a mi mismo*". Seu espírito sempre encontra razões para estar satisfeito e inclusive agradecido; ocasionalmente, toca a jovial transcendência daquele homem de bem que voltava de um encontro amoroso *tamquam re bene gesta* [como de uma coisa bem-sucedida]. "*Ut desint vires* [Mesmo faltando as energias], falou agradecido, *tamen est laudanda voluptas* [entretanto, há que se elogiar a voluptuosidade]." –

14.

Anti-Darwin. – No que se refere à famosa "luta pela *vida*", parece-me que por vezes é mais afirmada do que provada. Ela ocorre, mas enquanto exceção; o aspecto global da vida *não* é o estado de necessidade, de forma, mas muito mais de riqueza, a opulência, inclusive a absurda perdulariedade, – onde se luta, luta-se por *poder*... Não se deve confundir Malthus com a natureza. – Supondo, porém, que essa luta exista – e de fato ela ocorre –, então infelizmente decorre de forma inversa ao que deseja a Escola de Darwin, inversa ao que talvez fosse *lícito* desejar com ela: vale dizer, em detrimento dos fortes, dos privilegiados, das felizes exceções. As espécies *não* crescem em perfeição: os fracos sempre assenhoram novamente dos fortes, – isso faz com que sejam o grande número, que sejam também *mais inteligentes*... Darwin esqueceu o espírito (– e isso é inglês!), *os fracos têm mais espírito*... É preciso ter necessidade de espírito para obter espírito, – ele se perde quando não se tem mais necessidade dele. Quem possui força, despoja-se do espírito (– "Deixe que se vá! pensa-se hoje na Alemanha – ainda nos restará o *Reich*"...). Por espírito eu entendo, como se vê, a cautela, a paciência, a astúcia, a dissimulação, o grande domínio de si, bem como de tudo que é *mimicry* [mimetismo] (uma grande parte da assim denominada virtude pertence a esse último).

15.

Casuística de psicólogos. – Esse é um conhecedor dos seres humanos: Para que efetivamente ele estuda os seres humanos? Quer obter pequenas vantagens sobre eles, ou também grandes, – ele é um *politikus*!... Também aquele é um conhecedor dos seres humanos: e vocês dizem, com isso, que não pretenderiam obter nada para si mesmos, que seriam um grande "impessoal". Vejam com mais precisão! Talvez ele ainda queira uma vantagem inclusive *pior*: sentir-se superior aos homens, permitir que os vejam de cima para baixo, não se confundir com eles. Esse "impessoal" é um *desprezador* do homem: ao passo que o primeiro é a *humanere Species* [a espécie mais humana], não importando o que diga a aparência. Ele pelo menos se equipara com os homens, coloca-se *dentro* deles...

16.

O *tato psicológico* dos alemães me parece ser colocado em questão, por meio de uma série de casos, cuja lista minha modéstia me impede de apresentar. Em um caso único não me faltará grande ocasião para fundamentar minha tese: eu guardo rancor dos alemães por terem se equivocado sobre *Kant* e sua "filosofia de escapatórias", como eu a denomino, - isso *não* era o *Typus* de retidão intelectual [*Typus der intellektuellen Rechtschaffenheit*]. Outra coisa que não consigo ouvir é um famigerado "e": os alemães dizem "Goethe *e* Schiller", - eu temo que digam "Schiller e Goethe"... Ainda não *conhecem* esse Schiller? - Existe "e" ainda piores; ouvi com meus próprios ouvidos, embora apenas entre professores universitários, "Schopenhauer *e* Hartmann"...

17.

Os seres humanos mais espirituais, pressupondo que sejam os mais corajosos, vivenciam também as tragédias mais dolorosas: mas justamente por isso é que veneram a vida, pois ela opõe a eles seu maior adversário.

18.

Sobre a "consciência intelectual". - Nada me parece hoje mais raro do que uma genuína hipocrisia. É grande minha suspeita de que o ar suave da nossa cultura não seja suportável para essa planta. A hipocrisia pertence às épocas de fé forte: naquelas em que não se abandonava a fé que se tinha, nem sob a *coação* para se aparentar outra fé. Hoje se a abandona; ou, o que é ainda mais comum, adquire-se uma segunda fé, - e em todo caso ainda se permanece *honesto*. Sem dúvida que hoje em dia é possível um número muito maior de convicções do que antes: possível, quer dizer, permitido, quer dizer, *inofensivo*. Disso surge a tolerância para consigo mesmo. – A tolerância para consigo permite várias convicções: essas convivem pacificamente entre si, – guardam-se, como tudo hoje em dia, de se comprometerem [*compromittiren*]. Compromete-se com o que hoje em dia? Quando se possui coerência. Quando se anda em linha reta. Quando se tem menos do que cinco significados. Quando se é genuíno... É grande meu medo de que o homem moderno esteja simplesmente demasiado confortável para alguns vícios: de modo que justamente estes se extingam. Todo o mal que está condicionado por uma vontade forte – e talvez não exista nenhum mal sem força da vontade – degenera, em nossa atmosfera tépida, em virtude... Os poucos hipócritas que eu conheci, imitavam a hipocrisia: como um em cada dez homens hoje em dia, eram atores. –

19.

Belo e feio. – Nada é mais condicionado, digamos *mais limitado*, do que nosso sentimento do belo. Quem quisesse pensá-lo desvinculado do prazer do ser humano com o ser humano, perderia imediatamente o solo sob seus pés. O "belo em si" é uma mera palavra, não é nem sequer um conceito. No belo o ser humano se coloca como medida da perfeição; em casos específicos, adora a si próprio por meio do belo. Apenas dessa forma uma espécie *pode* dizer sim a si mesma. Seu instinto *mais profundo*, aquele da autoconservação e ampliação, ainda se irradia nessas sublimidades. O ser humano inclusive acredita que o mundo está carregado de beleza, – *esquece* de si como a causa dela. Unicamente ele presenteou o mundo com beleza, ah! com uma beleza bem humana, demasiado humana... No fundo, o ser humano se espelha nas coisas, considera belo tudo o que devolve sua imagem: o juízo "belo" é sua *vaidade da espécie*... Justamente aos ouvidos do cético, uma pequena suspeita pode sussurrar uma pergunta: O mundo é realmente embelecido pelo fato de que o ser humano o considera belo? O homem o *humanizou*: isso é tudo. Mas nada, absolutamente nada nos garante que precisamente o ser humano forneça o modelo do belo. Quem sabe como apareceria aos olhos de um juiz com gosto mais elevado? Talvez audaz? talvez inclusive divertido? talvez um pouco arbitrário?... "Oh Dioniso, divino, por que me puxas as orelhas?", perguntou uma vez Ariadne, em um daqueles famosos diálogos em Naxos, ao seu amante filosófico. "Eu encontro uma espécie de humor em tuas orelhas, Ariadne: Por que elas não são um pouco mais longas?"

20.

Nada é belo, apenas o ser humano é belo: toda estética se assenta sobre essa ingenuidade, que é sua *primeira* verdade. Acrescentemos ainda a sua segunda: nada é feio a não ser o ser humano *degenerado*, – com isso, fica circunscrito o reino do juízo estético. – Fisiologicamente considerado, tudo o que é feio enfraquece e entristece o homem. Lembra-o decadência, perigo, impotência; ele efetivamente perde força. Pode-se medir o efeito do feio com um dinamômetro. Ali onde em geral o homem está deprimido, pressente-se a proximidade de algo "feio". Seu sentimento de poder, sua vontade de poder, sua coragem, seu orgulho – tudo isso diminui com o feio, tudo isso aumenta com o belo... Tanto em um quanto em outro caso *extraímos uma conclusão*: as premissas disso são acumuladas no instinto com enorme abundância. O feio é entendido como um sinal e sintoma da degenerescência: o que faz lembrar degenerescência, mesmo que de mais longínquo, é o que produz em nós o juízo "feio". Todo indício de esgotamento, de gravidade, de velhice, de cansaço, toda espécie de ausência de liberdade, como convulsão, como paralisia, sobretudo o cheiro, a cor, a forma de dissolução, de decomposição, seja inclusive na forma última de diluição, ao ser convertida em símbolo – isso tudo provoca a mesma reação, o juízo de valor "feio". Salta aos olhos um ódio nesse aspecto: O que o ser humano odeia ali? Mas não resta dúvida: o *declínio do seu tipo*. Ele odeia isso a partir do mais profundo instinto da espécie; nesse ódio existe pavor, cautela, profundidade, visão longínqua, – é o mais profundo ódio que existe. Por sua causa a arte é *profunda*...

21.

Schopenhauer. – Schopenhauer, o último alemão que é levado em conta (– que é um acontecimento *europeu* como Goethe, como Hegel, como Heinrich Heine, e *não* meramente um acontecimento local, "nacional"), é um caso de primeira ordem para um psicólogo: precisamente como tentativa malignamente genial de levar a campo, em favor de uma global desvalorização niilista da vida, justamente as instâncias contrárias, a grande autoafirmação da "vontade de vida", as formas exuberantes de vida. Ele interpretou, nessa ordem, a *arte*, o heroísmo, o gênio, a beleza, a grande compaixão, o conhecimento, a vontade de verdade, a tragédia, como fenômenos consequentes da "negação" ou da necessidade de negação [*Verneinungs-Bedürftigkeit*] da "vontade" – a maior falsificação psicológica que, excetuando-se o cristianismo, existe na história. Visto com mais precisão, nisso ele é mero herdeiro da interpretação cristã: apenas que ele também soube *aprovar* em um sentido ainda cristão, isto é, niilista, o que foi *rejeitado* pelo cristianismo, os grandes fatos culturais da humanidade (– precisamente como caminho para a "redenção", como prefiguração da "redenção", como estimulantes da necessidade de "redenção"...)

22.

Tomo um caso particular. Schopenhauer fala da *beleza* com ardor melancólico, - por quê, em última instância? Porque enxerga nela uma *ponte* sobre a qual se vai adiante, ou adquire sede para ir adiante... Para Schopenhauer, a beleza é a redenção da "vontade" por alguns momentos - ela atrai à redenção para sempre... Em especial, ele a louva como redentora do "ponto focal da vontade", da sexualidade, - ele vê o impulso de procriação *negado* na beleza... Excêntrico santo! Qualquer um te contradiz, e temo que seja a natureza. *Para que* existe em geral beleza no som, cor, perfumes, movimento rítmico na natureza? o que *impulsiona* a beleza *a se manifestar*? - Felizmente, um filósofo o contradiz. Uma autoridade não menor do que aquela do divino Platão (- o próprio Schopenhauer assim o denomina) sustenta uma tese diversa: que toda beleza estimula à procriação, - que precisamente isso seria o *proprium* do seu efeito, do que é mais sensual até o mais espiritual...

23.

Platão vai adiante. Com uma inocência para a qual é preciso ser um grego e não um "cristão", ele diz que não existiria de modo algum filosofia platônica se não existissem em Atenas jovens tão belos: o aspecto deles seria, em primeiro lugar, o que transporta a alma do filósofo para uma vertigem erótica, e não deixa a ela qualquer descanso, enquanto não tenha plantado a semente de todas as coisas mais elevadas em um terreno tão belo. Também um excêntrico santo! - não se acredita nos próprios ouvidos, mesmo supondo que se acredita em Platão. Pelo menos se adivinha que em Atenas se filosofou de *outro modo*, sobretudo publicamente. Nada é menos grego do que a teia de aranha conceitual de um eremita, *amor intellec-*

tualis Dei conforme a maneira de Espinosa. Filosofia à maneira de Platão seria definida, antes, como uma competição erótica, como um perfeccionamento e interiorização da antiga ginástica agonal e de seus *pressupostos*... O que teria brotado dessa erótica filosófica de Platão? Uma nova forma artística do agon grego, a dialética. - Lembro ainda, *contra* Schopenhauer e em reverência a Platão, que toda cultura superior e literatura da França *clássica* também cresceram a partir do solo do interesse sexual. Nela é lícito buscar em toda parte a galanteria, o sentido, a competição sexual, a "mulher", - não se buscará nunca em vão...

24.

L'art pour l'art. - O combate contra a finalidade na arte é sempre o combate contra a tendência *moralizante* na arte, contra sua subordinação à moral. *L'art pour l'art* significa: "o diabo que leve a moral!" - Mas mesmo essa hostilidade ainda revela a supremacia do preconceito. Quando se excluiu da arte a finalidade da pregação moral e do melhoramento humano, não se segue então disso, nem de longe, que a arte seja em geral sem finalidade, sem meta, sem sentido, em suma, *l'art pour l'art* - um verme que se morde na cauda. "É preferível nenhuma finalidade a uma finalidade moral!" - assim fala a mera paixão. Um psicólogo, em contrapartida, pergunta: O que faz toda arte? não louva? não glorifica? não seleciona? não destaca? Com tudo isso ela *fortalece* ou *enfraquece* certas estimativas de valor... Isso é apenas algo marginal? um acaso? Algo no qual o instinto do artista não participaria de modo algum? Ou ainda: Não é isso o pressuposto para aquilo que o artista *pode*...? Seu instinto mais inferior tende à arte, ou muito mais ao sentido da arte, à *vida*? a uma *desejabilidade de vida*? - A arte é o grande estimulante à vida: Como poderíamos entendê-la como algo sem finalidade, como algo sem meta, como *l'art pour l'art*? – Resta ainda uma pergunta: a arte traz à tona também tudo o que é feio, duro, problemático na vida, – não parece, com isso, que ela se desapaixone [*entleiden*] pela vida? – E existiram filósofos, de fato, que atribuíram esse sentido à arte: "livrar-se da vontade", ensinou Schopenhauer como a intenção global da arte, e venerou como a grande utilidade da tragédia o "conformar-se à resignação". – Mas isso – e já dei a entender – é uma ótica pessimista e um "mau olhar" –: é preciso apelar ao próprio artista. *O que o artista trágico comunica sobre si*? Não é precisamente um estado *sem* temor frente o terrível e problemático que ele mostra? – Esse mesmo estado é uma elevada desejabilidade [*Wünschbarkeit*]; quem o conhece, honra-o com suprema veneração. Ele o comunica, ele *tem de* comunicá-lo, pressupondo que seja um artista, um gênio da comunicação. A valentia e liberdade do sentimento frente a um inimigo poderoso, frente a uma sublime adversidade, frente a um problema que suscita pavor – esse estado *vitorioso* é aquele que o artista trágico escolhe, que glorifica. Diante da tragédia o que há de belicoso em nossa alma festeja suas saturnais; quem está habituado ao sofrimento, quem procura o sofrimento, o homem *heroico*, exalta sua existência com a tragédia, – unicamente a ele o artista trágico oferece a bebida dessa dulcíssima crueldade. –

25.

Contentar-se com os homens, manter a casa aberta com seu coração, isso é liberal, mas isso é meramente liberal. Reconhecem-se os corações que são capazes de uma *nobre* hospitalidade nas muitas janelas cobertas com cortinas e nas persianas fechadas: eles mantêm seus melhores lugares vazios. Mas por quê? – Porque esperam os hóspedes com os quais *não* "se contentam"...

26.

Não nos estimamos mais o suficiente, quando comunicamos a nós mesmos. Nossas mais autênticas vivências não são de modo algum dadas à conversação. Elas não poderiam comunicar a si mesmas se quisessem. A questão é que falta palavra a elas. Aquilo para o qual temos palavras, também já o superamos. Em todo discurso há um grão de desprezo. A linguagem, assim parece, foi inventada apenas para o que é mediano, médio, comunicável. Com a linguagem, aquele que fala já se *vulgariza*. – De uma moral para surdos-mudos e outros filósofos.

27.

"Este quadro é encantadoramente belo!"... A mulher letrada, insatisfeita, excitada, monótona no coração e nas vísceras, atentamente ouvindo a cada instante e com dolorosa curiosidade a um imperativo que, das profundezas da sua organização, sussurra "*aut liberi aut libri*" [ou filhos ou livros]: a mulher letrada, suficientemente culta para entender a voz da natureza mesmo quando fala em latim e, por outro lado, vaidosa e parva para, secretamente, também falar consigo mesma ainda em francês: "*je me verrai, je me lirai, je m'extasierai et je dirai: Possible, que j'aie eu tant d'esprit?*" [eu me verei, me lerei, me extasiarei e direi: É possível que tenha tido tanto espírito?]...

28.

Os "impessoais" tomam a palavra. – "Nada nos ocorre ser mais fácil do que sábio, paciente, superiores. Pingamos o óleo da indulgência e da simpatia, somos justos de uma maneira absurda, perdoamos tudo. Justamente por isso deveríamos nos comportar com mais rigor; justamente por isso deveríamos, de tempo em tempo, *cultivar* em nós um pequeno afeto, um pequeno vício de afeto. Pode ser que nos seja amargo; e talvez entre nós riamos do aspecto que com isso oferecemos. Mas em que isso ajuda! Não resta mais nenhuma outra espécie de autossuperação: essa é *nosso* ascetismo, *nossa* penitência"... *Tornar-se pessoal* – a virtude dos "impessoais"...

29.

De uma defesa de doutorado. – "Qual é a tarefa de todo sistema de ensino superior?" – Fazer do homem uma máquina. – "Qual é o meio para isso?" – Ele tem de aprender a se entediar. – "Como se alcança isso?" – Por meio do conceito de dever. – "Quem é seu modelo para isso?" – O filólogo: ele ensina a se *estafar*. – "Quem é o ser humano perfeito?" – O funcionário público. – "Qual filosofia fornece a suprema fórmula do funcionário público?" – A filosofia de Kant: o funcionário público como coisa em si, erigido à função de juiz do funcionário público como fenômeno. –

30.

O direito à estupidez. – O trabalhador cansado e de respiração lenta, de olhar benévolo e que deixa as coisas transcorrerem como elas transcorrem: essa típica figura que atualmente, na época do trabalho (*e* do *Reich*!), encontramos em todas as classes da sociedade, reivindica para si hoje precisamente a *arte*, incluindo o livro, sobretudo o jornal, – tanto mais a bela natureza, Itália... O ser humano do entardecer, com os "selvagens impulsos adormecidos" de que fala Fausto, precisa do veraneio, do banho de mar, de esquiar, de Bayreuth... Em uma época assim, a arte tem o direito à *estupidez pura*, – como uma espécie de férias para o espírito, à argúcia e ao ânimo [*Gemüth*]. Isso Wagner entendeu. A *estupidez pura* restabelece...

31.

Mais um problema de dieta. – Os meios com os quais Júlio César se defendeu dos estados doentios e dores de cabeça: imensas marchas, simplíssimo estilo de vida, ininterrupta permanência ao ar livre, constantes estafas – essas são, grosso modo, as medidas de conservação e proteção em geral contra a extrema vulnerabilidade daquela máquina sutil e que trabalha sob uma altíssima pressão, chamada espírito. –

32.

Fala o imoralista. – Nada é *mais* contrário ao gosto de um filósofo do que o ser humano, *assim que deseja*... Se o filósofo enxerga o homem apenas em seu agir, vê esse animal muito valente, astuto, resistente, inclusive perdido em necessidades labirínticas, quão digno de admiração lhe aparece o homem! O filósofo ainda o conforta... Mas o filósofo despreza o homem que deseja, despreza também o homem "desejável" – bem como toda desejabilidade em geral, todos os *ideais* de homem. Se um filósofo pudesse ser niilista, assim o seria porque encontra por trás de todos os ideais de homem o nada. Ou ainda não encontra nem mesmo o nada, – mas somente aquilo que nada vale, o absurdo, o doentio, o covarde, o cansado, toda espécie de borras das taças *completamente bebidas* da sua vida... O ser humano, que como realidade [*Realität*] é tão digno de veneração, como se explica que, enquanto deseja, não recebe qualquer respeito? Tem ele de expiar o fato de ser tão capaz enquanto realidade? Tem ele de compensar seu agir, a tensão da cabeça e da vontade em todo agir, com um relaxamento dos membros no imaginário e absurdo? – A história da sua desejabilidade foi, até agora, a *parti honteuse* [parte vergonhosa] do ser humano: é preciso guardar-se de ler por muito tempo sobre ela. Aquilo que justifica o homem é sua realidade, – ela o justificará eternamente. Quanto o homem real vale a mais, comparado com qualquer outro homem meramente desejado, sonhado, inventado como mentira? comparado com qualquer homem *ideal*?... E somente o homem ideal vai de encontro ao gosto do filósofo.

33.

Valor natural do egoísmo. – O egoísmo tem tanto valor quanto vale aquele que o possui fisiologicamente: pode ser algo de muito mais valor, pode não possuir valor algum e ser desprezível. Cada indivíduo pode ser considerado, a partir da perspectiva se representa a linha ascendente ou descendente de vida. Com uma decisão sobre esse ponto também se tem um cânon para aquilo que tem valor em seu egoísmo. Se representar o ascendente na linha, então seu valor é efetivamente extraordinário, – e em razão da vida em sua totalidade, que com ele pode dar um passo *adiante*, é lícito que a preocupação com a conservação, com a criação do seu *optimum* de condições seja inclusive extrema. O indivíduo, o "*Individuum*", tal como o povo e o filósofo o entendeu até agora, é um erro: não é nada para si, nenhum átomo, nenhum "elo da corrente", nem meramente herança de outro tempo, – ele é inteiramente a única linha ser humano até chegar ainda a ele mesmo... Se representar o desenvolvimento descendente, a decadência, a degeneração crônica, adoecimento (– doenças são, grosso modo, fenômenos resultantes da decadência, e *não* sua causa), então a ele convém pouco valor e, à primeira equidade, pretende que *subtraia* o menos possível dos bem-constituídos. Ele é meramente o parasita deles...

34.

Cristão e anarquista. – Quando o anarquista,

 como porta-voz dos estratos *declinantes* da sociedade e, com bela indignação, reclama por "direito", "justiça", "direitos iguais", então está com isso apenas sob pressão da sua não cultura [*Unkultur*], que por sua vez não sabe compreender *por que* realmente sofre, – *de que* ele é pobre, de vida... Um impulso causal é nele poderoso: alguém tem de ser culpado de que se encontre mal. Inclusive a própria "bela indignação" faz bem a ele, é um prazer para todos os pobres diabos poderem xingar, – há uma pequena embriaguez de poder. Já a queixa, o queixar-se, pode fornecer um estímulo à vida, com cujo encanto se consegue suportá-la: uma dose sutil de *vingança* se encontra em toda queixa, censura-se como uma injustiça, como um privilégio *ilícito* seu encontrar-se mal, e em certas circunstâncias sua própria maldade, àqueles que são diferentes. "Se sou um *canaille*, tu também deves ser": com essa lógica se faz revolução. – O queixar-se não vale nada em qualquer situação: ele deriva da fraqueza. Que se atribua seu encontrar-se mal a outros ou *a si mesmo* – o socialista age conforme a primeira maneira, o cristão, por exemplo, conforme a segunda –, não faz nenhuma autêntica diferença. O que há de comum, e digamos também o que há de *indigno* nisso, é que alguém deve ser culpado de que se sofra – em resumo, que o sofredor prescreve a si mesmo o mel da vingança contra seu sofrimento. Os objetos dessa necessidade de vingança, como necessidade de *prazer*, são causas ocasionais: o sofredor encontra em toda parte causas para arrefecer sua pequena vingança, – sendo ele cristão, para dizer mais uma vez, então encontra-as em *si mesmo*... O cristão e o anarquista – ambos são *décadents*. – Mas mesmo quando o cristão condena, calunia, suja o "*mundo*", assim ele o faz a partir do mesmo instinto, por meio do qual o trabalhador socialista condena, calunia, suja a *sociedade*: inclusive o "juízo final" é ainda o mais doce consolo da vingança – a revolução, tal como o trabalhador socialista também a espera, pensada apenas como algo bem distante... O próprio "para além" [*Jenseits*] - para que um para além, se não fosse um meio de sujar o aquém?...

35.

Crítica da moral da décadence. - Uma moral "altruísta", uma moral na qual o egoísmo *definha* -, permanece um indício ruim sob quaisquer circunstâncias. Isso vale ao indivíduo, isso vale notadamente aos povos. Quando começa a faltar o egoísmo, começa a faltar o que há de melhor. Escolher instintivamente o que é prejudicial a *si mesmo*, ficar *atraído* por motivos "desinteressados", quase fornece a fórmula para a *décadence.* "Não buscar *sua* vantagem própria" - isso é a mera folha moral de figueira para uma factualidade [*Thatsächlichkeit*] completamente distinta, a saber, fisiológica: "eu não sei mais *encontrar* minha vantagem"... Desagregação dos instintos! - Ao se tornar altruísta, o ser humano está no fim. - Ao invés de dizer ingenuamente "*eu* não valho nada", a mentira moral na boca do *décadent* diz: "nada tem valor, - a *vida* não tem valor algum"... Em última instância, tal juízo permanece um grande perigo, ele age contagiando, - rapidamente pulula em todos os terrenos mórbidos da sociedade, em uma vegetação tropical de conceitos, ora como religião (cristianismo), ora como filosofia (schopenhauerianismo). Em certas circunstâncias, tal vegetação de árvores venenosas que cresceu a partir da podridão envenena com seus vapores *a vida* por milênios adentro...

36.

Moral para médicos. - O doente é um parasita da sociedade. Em certa condição é indecente viver ainda por mais tempo. O continuar vegetando em infame dependência de médicos e métodos, depois que o sentido da vida, o *direito* à vida se perdeu, deveria atrair sobre si um profundo desprezo na sociedade. Os médicos, por sua vez, teriam que ser os mediadores desse desprezo, – nenhuma receita, mas a cada dia uma nova dose de *nojo* pelos pacientes... Criar uma nova responsabilidade, aquela do médico, para todos os casos em que o supremo interesse da vida, da vida *ascendente*, exige a mais inexorável eliminação e extirpação da vida *degenerante* – por exemplo, quanto ao direito à procriação, ao direito de nascer, ao direito de viver... Morrer de uma maneira orgulhosa, quando não é mais possível viver orgulhosamente. A morte, escolhida por iniciativa própria, a morte realizada em seu tempo certo, com clareza e alegria em meio aos filhos e testemunhas: de modo que um efetivo dizer adeus ainda seja possível, quando *ainda está presente aquele* que se despede, igualmente uma avaliação efetiva do que se alcançou e se quis, um *balanço* da vida – tudo isso em oposição à miserável e pavorosa comédia que o cristianismo encenou com a hora da morte. Não se deveria jamais esquecer que o cristianismo abusou da fraqueza do moribundo para violentar sua consciência, bem como abusou da própria maneira de morrer para fazer juízo de valor sobre o homem e seu passado! – A despeito de todas as covardias do preconceito, aqui importa estabelecer sobretudo a avaliação correta, a saber, a avaliação fisiológica da assim denominada morte *natural*: algo que, afinal de contas, também é apenas uma morte "não natural", um suicídio. Não se perece jamais por causa de outra pessoa, a não ser por si mesmo. Somente a morte sob as mais desprezíveis condições é uma morte não livre, uma morte no momento *errado*, uma morte covarde. Dever-se-ia, por amor à *vida*, – querer a morte de outra maneira, livre, consciente, sem acasos, sem surpresas...

Por fim, um conselho aos senhores pessimistas

e outros *décadents*. Não temos em mãos impedir que se tenha nascido: mas podemos corrigir novamente esse erro – pois é, por vezes, um erro. Quando alguém se *suprime*, faz a coisa mais digna de respeito que existe: quase merece viver por conta disso... A sociedade, o que digo! a própria *vida* extrai mais vantagem disso do que por meio de qualquer "vida" na renúncia, na anemia e outras virtudes –, ao se libertar da vista dos outros, libertou-se a vida de uma *objeção*... O pessimismo, *pur, vert, demonstra a si mesmo unicamente* por meio da autorrefutação dos senhores pessimistas: é preciso dar um passo a mais em sua lógica, e não negar a vida com mera "vontade e representação", como Schopenhauer o fez –, é preciso *negar primeiramente Schopenhauer*... O pessimismo, a propósito, por mais contagioso que seja não aumenta, apesar disso, a patologia de uma época, de uma geração em sua totalidade: ele é apenas expressão dessa patologia. Alguém contrai pessimismo, tal como se contrai cólera: é preciso já ser de mórbida constituição para isso. O próprio pessimismo já não produz mais um único *décadent*; lembro do resultado de uma estatística, segundo a qual os anos em que a cólera foi mais violenta não se distinguiram dos outros anos, a propósito da cifra total dos casos de morte.

37.

Se nos tornamos mais morais. – Contra meu conceito de "para além de bem e mal", como era de se esperar, colocou-se em obra a completa *ferocidade* da estupidez moral que, como se sabe, vigora na Alemanha como a moral mesma: eu poderia narrar ótimas histórias sobre isso. Sobretudo me é dado refletir sobre a "inegável superioridade" da nossa época no juízo ético, sobre o *progresso* efetivamente realizado nesse ponto: um Cesare Borgia, comparativamente a *nós*, não seria mostrado de maneira alguma como "ser humano superior", como uma espécie de *além-do-homem* [Übermensch], como eu o faço... Um redator suíço do *Bund* foi tão longe, não sem exprimir seu respeito frente à coragem de tal ousadia, a ponto de "entender" o sentido da minha obra no fato de que eu reivindicava com ela a abolição de todos os sentimentos decorosos. Muitíssimo obrigado! – Permito-me, como resposta, lançar a pergunta *se nos tornamos efetivamente mais morais*. O fato de que o mundo inteiro acredite nisso já é uma objeção a isso... Nós homens modernos, muito delicados, muito melindrosos, bem como dando e recebendo centenas de considerações, de fato imaginamos essa delicada humanidade que representamos, essa unanimidade *alcançada* na indulgência, na disposição em ajudar, na confiança mútua, como sendo um progresso positivo para podermos ir além do ser humano do Renascimento. Mas toda época pensa assim, *tem de* pensar assim. O certo é que não nos é lícito colocarmo-nos nas condições do Renascimento, nem mesmo pensá-las: nossos nervos não suportariam aquela efetividade [*Wirklichkeit*], para não falar dos nossos músculos. Com essa incapacidade, porém, nenhum progresso é demonstrado, mas apenas outra constituição, uma constituição mais tardia, mais fraca, mais delicada, mais melindrosa, a partir da qual se produz uma moral necessariamente *mais plena de consideração*. Se prescindirmos de nossa delicadeza e situação tardia, nosso envelhecimento fisiológico, então nossa moral da "humanização" também perderia imediatamente seu valor – em si, nenhuma moral possui valor –: causar-nos-ia inclusive desprezo. Não duvidemos, por outro lado, que nós modernos, com nossa humanidade fartamente acolchoada que de maneira alguma quer se chocar com nenhuma pedra, apareceríamos a um contemporâneo de Cesare Borgia como uma comédia que faria morrer de rir. De fato, somos de sobremaneira cômicos, involuntariamente, com as nossas "virtudes" modernas... O decréscimo dos instintos hostis e suscitadores de desconfiança – e isso sim já seria nosso "progresso" – representa somente uma das consequências no decréscimo geral de *vitalidade*: custa centenas de vezes mais esforço, mais cautela, estabelecer uma existência tão condicionada, tão tardia. Ajudamo-nos reciprocamente nesse ponto, e até certo grau cada um é doente e cada um é enfermeiro nesse ponto. Isso se chama então "virtude" –: entre homens que ainda conheceram a vida de outra maneira, mais plena, mais perdulária, mais transbordante, teriam a denominado diversamente, "covardia" talvez, "mesquinharia", "moral de mulheres velhas"... Nossa suavização dos costumes – essa é minha tese, essa é, caso se queira, minha *inovação* – é consequência do declínio; a dureza e terribilidade dos costumes, inversamente, podem ser consequência do excesso de vida: então, efetivamente, muito se poderia ousar, muito ser exigido, muito também ser *desperdiçado*. O que outrora foi o tempero da vida seria para nós *veneno*... Para sermos indiferentes – também isso é uma forma de força – para isso somos igualmente demasiado velhos, demasiado tardios: nossa moral da simpatia, sobre a qual eu fui o primeiro a advertir, a isso que poderia denominar de *l'impressionisme morale*, é uma expressão a mais da superexcitabilidade fisiológica que é própria de tudo aquilo que é *décadent*. Esse movimento que, juntamente com a *moral da compaixão* de Schopenhauer, tentou apresentar-se como científica – é o autêntico movimento de *décadence* na moral e, enquanto tal, profundamente aparentada com a moral cristã. As épocas fortes, as culturas *nobres*, veem na compaixão, no "amor ao próximo", na ausência de um si mesmo e de um sentimento de si mesmo algo de desprezível. – As épocas podem ser medidas segundo as *forças positivas* - e, nelas, resulta aquela época tão perdulária fatal do Renascimento, como a última *grande* época, e nós, nós modernos com nossa angustiada solicitude por nós mesmos e nosso amor ao próximo, com nossas virtudes do trabalho, da despretensão, da legalidade, da cientificidade - acumuladores, econômicos, maquinais - como uma época *fraca*... Nossas virtudes estão condicionadas, estão *provocadas* pela fraqueza... A "igualdade", uma certa efetiva homogeneidade que termina por encontrar expressão na teoria dos "direitos iguais", pertence essencialmente ao declínio: o abismo entre homem e homem, classe e classe, a multiplicidade de tipos, a vontade de ser si mesmo, de distinguir-se, isso que denomino de *pathos da distância*, é próprio de toda época *forte*. A tensão e amplitude de força entre os extremos se torna hoje cada vez menor, - inclusive os extremos definham até se converterem em homogeneidades... Todas as nossas teorias políticas *e* constituições de Estado, não excluído de maneira alguma o "*Reich* alemão", são consequências, necessárias consequências do declínio; o efeito inconsciente da *décadence* dominou até os ideais das ciências particulares. Minha objeção contra toda a sociologia na Inglaterra e na França ainda continua sendo o fato de que ela conhece, por experiência, somente as *formações de decadência* da sociedade e, de modo perfeitamente inocente, toma os próprios instintos de decadência como *norma* do juízo de valor sociológico. A vida *declinante*, o decréscimo de toda força organizadora, isto é, separadora, criadora de abismos, subordinada e sobreordenadora, formula a si mesma na sociologia de hoje como um *ideal*... Nossos socialistas são *décadents*, mas também o Sr. Herbert Spencer é um *décadent*, - ele vê na vitória do altruísmo qualquer coisa de desejável!...

38.

Meu conceito de liberdade. – O valor de uma coisa, por vezes, reside não naquilo que se alcança com ela, mas sim naquilo que se paga por ela, – naquilo que *custa* a nós. Dou um exemplo. As instituições liberais deixam de ser liberais no mesmo instante em que são alcançadas: posteriormente, não há nenhum dano tão ruim e mais radical para a liberdade do que as instituições liberais. Sabe-se bem *o que* levam a termo: elas minam a vontade de poder, são a nivelação de montanha e vale elevada à moral, tornam pequenos, covardes e deleitosos, – com elas, o animal de rebanho a toda hora triunfa. Liberalismo: dito claramente, *animalização em rebanho* [*Heerden-Verthierung*]... Essas mesmas instituições produzem efeitos completamente distintos enquanto ainda se combate por elas; promovem a liberdade, então, de uma maneira efetivamente poderosa. Visto com mais precisão, é a guerra que produz esses efeitos, a guerra *por* instituições liberais que, enquanto guerra, deixa que perdure os instintos *não liberais*. E a guerra educa para a liberdade. O que é pois liberdade! Que se tenha a vontade de responsabilidade por si mesmo. Que se mantenha a distância que nos separa. Que se torne indiferente ao cansaço, à dureza, à privação, inclusive em relação à vida. Que se esteja disposto a sacrificar à sua causa os seres humanos, sem excluir a si mesmo. Liberdade significa possuir os instintos viris que se comprazem na guerra e na vitória, acima de outros instintos, por exemplo, acima dos instintos de "felicidade". O ser humano *que se tornou livre*, e muito mais o *espírito* que se tornou livre, pisoteia a desprezível espécie de bem-estar, sonhados por merceeiros, cristãos, vacas, mulheres, ingleses e outros democratas. O ser humano livre é *guerreiro*. – De que modo se mede a liberdade, tanto em indivíduos quanto em povos? Segundo a resistência que tem de ser superada, segundo o esforço que custa permanecer *acima*. O tipo supremo de ser humano livre teria de ser buscado ali onde a suprema resistência é continuamente superada: a cinco passos da tirania, junto aos limites do perigo da escravidão. Isso é psicologicamente verdadeiro, se por "tirania" se compreende aqui os instintos mais imprescindíveis e terríveis, que provocam o *maximum* de autoridade e cultivo para consigo mesmo - o mais belo tipo, Júlio César -; isso é também politicamente verdadeiro, ao se dar apenas alguns passos pela história. Os povos que foram de algum valor, que *se tornaram* valorosos, jamais se tornaram assim em meio às instituições liberais: o *grande perigo* fez algo a partir delas que merece reverência, o perigo que unicamente nos possibilita conhecer nossos recursos, nossas virtudes, nossas armas e defesas, nosso *espírito*, - aquele que nos *coage* a ser forte... *Primeira* proposição: é preciso ter necessidade de ser forte: do contrário, jamais assim se torna. - Aquelas grandes estufas para seres humanos fortes, para as espécies mais fortes de seres humanos que existiu até agora, as comunidades aristocráticas à maneira de Roma e Veneza, entenderam a liberdade precisamente no sentido que eu entendo a palavra liberdade: como algo que se tem e *não* se tem, que se *quer*, que se *conquista*...

39.

Crítica da modernidade. - Nossas instituições nada mais valem: sobre isso se é unânime. Mas isso não se deve a elas, mas sim a *nós*. Depois que foram perdidos todos os instintos a partir dos quais nascem as instituições, vão se perdendo as instituições em geral porque *nós* não valemos mais nada para elas. O democratismo foi, em todas as épocas, formas de declínio da força organizadora: já em *Humano, demasiado humano I*, 318, caracterizei a moderna democracia juntamente com suas superficialidades, tal como o "*Reich* alemão", como a *forma de decadência do Estado*. Para que existam instituições tem de existir uma espécie de vontade, instinto, imperativo, que sejam antiliberais até a maldade: a vontade de tradição, de autoridade, de responsabilidade para com os séculos vindouros, de *solidariedade* entre as cadeias de gerações passadas e futuras *in infinitum*. Se esta vontade está presente, então funda-se algo como o *Imperium Romanum*: ou como a Rússia, o *único* poder que hoje possui duração dentro de si, que pode esperar, que inclusive pode prometer algo, – Rússia, o contraconceito aos miseráveis pequenos estados, bem como à miserável nervosidade europeia que, com a fundação do *Reich* alemão, entrou em um estado crítico... Todo o Ocidente não tem mais quaisquer instintos a partir dos quais as instituições crescem, a partir dos quais o *futuro* cresce: nada mais, talvez, vai tão de encontro ao seu "espírito moderno". Vive-se para o hoje, vive-se muito apressadamente, – vive-se muito irresponsavelmente: precisamente a isso se denomina "liberdade". Aquilo das instituições que se *faz* uma instituição é desprezado, odiado, rejeitado: acredita-se no perigo de uma nova escravidão, ali onde a palavra "autoridade" é ouvida. Tão longe vai a *décadence* nos instintos de valor dos nossos políticos, dos nossos partidos políticos: *eles instintivamente preferem* aquilo que dissolve, que acelera o fim... O *casamento moderno* é testemunha. Certamente que toda razão foi perdida por conta do matrimônio moderno: mas isso não é nenhuma objeção ao matrimônio, mas sim contra a Modernidade. A razão do casamento – situava-se na exclusiva responsabilidade jurídica do marido: com isso o casamento tinha um centro de gravidade, ao passo que hoje é manco das pernas. A razão do casamento – situava-se, por princípio, em sua indissociabilidade: com isso, adquiria um acento que, em relação ao acaso do sentimento, paixão e instante, sabia *fazer-se escutar*. Da mesma maneira, situava-se na responsabilidade das famílias a escolha do cônjuge. Com a crescente indulgência em favor do casamento por *amor*, eliminou-se precisamente o fundamento do casamento, aquilo que unicamente *faz* dele uma instituição. Nunca uma instituição se funda sobre uma idiossincrasia, o casamento *não* se funda, como se disse, sobre o "amor", – o casamento é fundado sobre o impulso sexual, sobre o impulso de propriedade (mulher e filho como propriedade), sobre o *impulso de domínio* que organiza constantemente a formação mínima de domínio, a família, e *necessita* de filhos e herdeiros para, inclusive fisiologicamente, manter uma medida alcançada de poder, influência, riqueza, para preparar longas tarefas, uma longa solidariedade de instintos entre séculos. O casamento como instituição compreende já em si mesmo a maior e mais duradoura forma de organização: se a própria sociedade como um todo não *pode* responsabilizar-se por si mesma, até as mais remotas gerações vindouras, então o casamento não possui qualquer sentido. – O casamento moderno *perdeu* seu sentido, – por conseguinte, vem sendo abolido. –

40.

A questão operária. – A estupidez, no fundo, a degeneração do instinto que é a causa de *toda* estupidez, consiste em que exista uma questão operária. Sobre determinadas coisas *nada se pergunta*: primeiro imperativo do instinto. – Não consigo enxergar o que se pretende fazer com o trabalhador europeu, depois que primeiramente se fez dele uma questão. Ele se encontra muito bem para não mais perguntar passo a passo, para não mais perguntar de modo presunçoso. Ele possui afinal o grande número a seu favor. Desapareceu por completo a esperança de que se constituísse em classe uma espécie modesta e autossatisfeita de ser humano, um tipo chinês: e isso teria tido uma razão, isso teria sido precisamente uma necessidade. O que se fez? – Tudo, inclusive para aniquilar em germe o pressuposto para isso, – foi fundamentalmente destruído, por meio do mais irresponsável descuido, os instintos para cujas faculdades fosse possível um trabalhador como classe, para que ele fosse possível *para si mesmo*. Converteu-se o trabalhador em alguém apto ao serviço militar, forneceram-no o direito de associação, o direito político ao voto: em que espantaria, se hoje o trabalhador já sinta sua existência como estado de necessidade (expresso moralmente como *injustiça* –)? Mas o que se *quer*? pergunta-se novamente. Ao se querer uma finalidade é preciso querer também os meios: ao se querer escravos, então se é um tolo ao educá-los para serem senhores. –

41.

"Liberdade, como *não* imagino..." – Em épocas como as de hoje, estar abandonado aos seus instintos é uma fatalidade a mais. Esses instintos contradizem-se, perturbam-se, destroem-se entre si; já defini a *modernidade* como autocontradição fisiológica. A razão da educação pretenderia que, sob férrea pressão, pelo menos um desses sistemas de instinto fosse *paralisado*, para permitir que outro conquiste forças, torne-se forte, torne-se senhor. Atualmente seria preciso primeiro tornar possível o indivíduo, ao *castrá-lo*: possível, isto é, *completo*... Acontece o inverso: a reivindicação por independência, ao livre desenvolvimento, ao *laisser aller* é mais calorosamente exigida por aqueles aos quais nenhuma rédea *seria demasiado rigorosa* – isso vale *in politicis* [em questões políticas], isso vale na arte. Mas isso é um sintoma da *décadence*: nosso conceito moderno de "liberdade" é uma prova a mais da degeneração do instinto. –

42.

Onde a fé é necessária. – Nada é mais raro entre moralistas e santos do que a retidão; talvez eles digam o contrário, talvez *acreditem* nisso mesmo. Quando justamente uma fé é mais útil, mais eficaz, mais convincente do que a *consciente* hipocrisia, então, por instinto, a hipocrisia se converte imediatamente em *inocência*: primeira proposição para o entendimento dos grandes santos. Inclusive entre os filósofos, outra espécie de santos, todo seu ofício traz consigo o fato de que eles permitem apenas determinadas verdades: a saber, aquelas por meio das quais seu ofício recebe sanção *pública*, – kantianamente falando, verdades da razão *prática*. Sabem o que *têm de* provar, e nisso eles são práticos, – reconhecem-se mutuamente no fato de que concordam sobre "as verdades". – "Não deves mentir" –, dito com clareza: *guarde-se*, meu senhor filósofo, de dizer a verdade...

43.

Dito no ouvido dos conservadores. – O que antigamente não se sabia, o que hoje se sabe, o que hoje se poderia saber –, que de modo algum é possível uma *regressão*, um retorno em qualquer sentido e grau. Pelo menos nós, fisiólogos, sabemos disso. Mas todos os sacerdotes e moralistas acreditaram nisso, – eles *queriam* fazer a humanidade regressar a uma medida *anterior* de virtude, regressá-la como se a *desparafusasse* [*zurück schrauben*]. Moral sempre foi um leito de Procusto. Inclusive os políticos imitaram dessa maneira os pregadores da virtude: ainda hoje existem partidos que sonham, como meta, que todas as coisas *caminhem como caranguejos*. Mas ninguém é livre para ser caranguejo. Não há saída: é *preciso* ir adiante, quer dizer, *passo a passo em direção à décadence* (– essa é *minha* definição de "progresso" moderno...). Pode-se *obstaculizar* esse desenvolvimento e, por meio dessa inibição, estancar, recolher, tornar mais veemente e *repentina* a própria degeneração: não se pode fazer mais que isso. –

44.

Meu conceito de gênio. – Grandes homens são, tal como as grandes épocas, materiais explosivos nos quais está acumulada uma enorme força; seu pressuposto é sempre, histórica e fisiologicamente, que com vistas a eles se foi juntado, acumulado, economizado e conservado por um longo tempo, – que nenhuma explosão se realizou por um longo tempo. Se a tensão na massa se tornou demasiado grande, basta o mais casual estímulo para fazer vir ao mundo o "gênio", a "ação", o grande destino. Que importa então o ambiente, a época, o "espírito do tempo", a "opinião pública"! – Considere-se o caso de Napoleão. A França da revolução, e mais ainda aquela pré-revolucionária, teria gerado a partir de si mesma o tipo oposto ao de Napoleão: ela inclusive *o* gerou também. E pelo fato de que Napoleão era *diverso*, herdeiro de uma civilização mais forte, mais duradoura, mais antiga do que aquela que na França se evaporava e despedaçava, tornou-se ali senhor, *era* ali o único senhor. Os grandes seres humanos são necessários, a época em que eles aparecem é casual; o fato de que quase sempre se tornam senhor sobre essa mesma época se explica simplesmente porque são mais fortes, mais antigos, e que por muito mais tempo foi reunido com vistas a eles. Entre um gênio e sua época existe uma relação tal como entre forte e fraco, bem como entre velho e jovem: a época é sempre relativamente mais jovem, mais frágil, mais imatura, mais insegura, mais infantil. – O fato de que na França se pense hoje *bem diversamente* sobre isso (na Alemanha também: mas isso nada importa), de que lá a teoria do *milieu*, uma verdadeira teoria de neuróticos, tornou-se sacrossanta e quase científica, e que mesmo entre os fisiólogos encontra adeptos, é algo que "não cheira bem", que causa tristes pensamentos a alguém. – Na Inglaterra também pensam da mesma maneira, mas ninguém se atormentará com isso. Aos ingleses somente dois caminhos estão abertos para entrarem em acordo com o gênio e com o "grande homem": ou *democraticamente* à maneira de Buckle ou *religiosamente* à maneira de Carlyle. – O *perigo* existente nos grandes seres humanos e nas épocas é extraordinário; o esgotamento de toda espécie, a esterilidade, seguem-nos de perto. O grande ser humano é um fim; a época, por exemplo, a Renascença, é um fim. O gênio – em obra e em ação – é necessariamente um perdulário: *o fato de que ele gaste a si mesmo* é a sua grandeza... O instinto de autoconservação fica suspenso; a violentíssima pressão de forças que derrama o proíbe de qualquer proteção e cautela. A isso se chama "sacrifício"; exalta-se nisso seu "heroísmo", sua indiferença para com o próprio bem-estar, sua entrega a uma ideia, a uma grande coisa, a uma pátria: todos mal-entendidos. Ele derrama a si mesmo, transborda a si mesmo, gasta a si mesmo, não se economiza, – com fatalidade, inexorável e involuntariamente, tal como é involuntário o transbordamento de um rio sobre suas margens. Mas porque muito se deve a tais explosivos, muito também, em contrapartida, retribuiu-se a eles, por exemplo, uma espécie de *moral superior*... Isso é efetivamente a maneira da gratidão humana: ela *mal-entende* seus benfeitores. –

45.

O criminoso e o que é a ele aparentado. – O tipo criminoso é o tipo de ser humano forte colocado nas mais desfavoráveis condições, um ser humano forte tornado doente. Falta a ele a natureza selvagem, uma certa natureza e forma de existência mais livre e perigosa, na qual tudo o que é arma de defesa e ataque *tenha seu lugar de direito* no instinto desse ser humano forte. Suas *virtudes* foram banidas pela sociedade; seus impulsos mais vitais que ele traz em si mesclam-se imediatamente com os afetos mais depressivos, com a suspeita, o medo, a desonra. Mas isso é quase a *receita* para a degeneração fisiológica. Quem tem de fazer secretamente, com prolongada tensão, cautela, astúcia, aquilo que ele é capaz de fazer da melhor maneira, aquilo que preferencialmente faria, torna-se anêmico; e porque colhe dos seus instintos somente perigo, perseguição, infortúnio, seu sentimento também se volta contra esses instintos – ele os sente de maneira fatalista. É na sociedade, nossa domesticada, medíocre, castrada sociedade, em que um ser humano genuinamente natural que chega das montanhas, ou das aventuras do mar, necessariamente degenera em criminoso. Ou quase necessariamente: pois há casos em que tal ser humano revela-se mais forte do que a sociedade: o corso Napoleão é o caso mais famoso. Para o problema que aqui se apresenta, é de grande interesse o testemunho de Dostoievski – de Dostoievski, do único psicólogo, diga-se de passagem, de quem tinha algo para aprender: ele pertence aos mais belos golpes de sorte da minha vida, mais ainda do que a descoberta de Stendhal. Esse homem *profundo*, que tinha dez vezes o direito de menosprezar os superficiais alemães, percebeu os presidiários da Sibéria, entre os quais viveu por muito tempo, autores de graves crimes para os quais não havia mais nenhum retorno à sociedade, de modo bem diverso do que ele próprio esperava – percebeu-os mais ou menos como talhados na melhor, mais dura e mais valiosa madeira que cresce em geral em terra russa. Generalizemos o caso do criminoso: pensemos em naturezas que, por algum motivo, carecem de consentimento público, que sabem que não são percebidas como benévolas, como úteis, – aquele sentimento de Chandala em que não se é considerado como igual, mas como excluído, indigno, contaminador. Todas essas naturezas possuem nos pensamentos e nas ações a cor do que é subterrâneo; nelas, tudo se torna mais pálido do que naquelas cuja existência repousa a luz diurna. Mas quase todas as formas de existência que hoje distinguimos viveram anteriormente sob essa mesma atmosfera semissepulcral: o homem científico, o artista, o gênio, o espírito livre, o ator, o comerciante, o grande descobridor... Tão logo o *sacerdote* foi considerado como o tipo supremo, *toda* aquela espécie de ser humano valioso foi desvalorizada... Chega a época – isso eu prometo – em que o sacerdote será considerado como o *mais inferior*, como *nosso* Chandala, como a espécie mais mentirosa, mais indecente de ser humano... Chamo atenção ao fato de que, ainda hoje, entre os mais brandos regimes de costume que dominou sobre a Terra, pelo menos na Europa, toda marginalidade, todo longo, prolongado estar *por debaixo*, toda inusitada, impenetrada forma de existência, aproxima-se daquele tipo que se consuma no criminoso. Todos os inovadores do espírito têm na fronte, por um tempo, o signo pálido e fatalista do Chandala: *não* porque assim são percebidos, mas porque sentem em si mesmos o abismo terrível que os separa de tudo o que é tradicional e possuidor de respeito. Quase todo gênio conhece, como um de seus desenvolvimentos, a "existência catilinária" [*catilinarische Existenz*], um sentimento de ódio, vingança e rebelião contra tudo o que já *existe*, que não mais *se torna*... Catilina – a forma de preexistência de *todo* César. –

46.

Aqui a vista é livre. – Pode ser elevação da alma, quando um filósofo silencia; pode ser amor, quando ele se contradiz; no homem do conhecimento é possível uma gentileza ao mentir. Não sem sutileza se disse: *il est indigne des grands coeurs de répandre le trouble, qu'ils ressentent* [é indigno dos grandes corações propagar a perturbação que eles sentem]: é preciso apenas acrescentar que pode ser igualmente grandeza da alma o fato de não temer *o que é mais indigno*. Uma mulher que ama, sacrifica sua honra; um homem do conhecimento que "ama", talvez sacrifique sua humanidade; um deus que amava se tornou judeu...

47.

A beleza não é acaso. – Também a beleza de uma raça ou de uma família, sua graça e bondade em todos os gestos é uma elaboração: como no gênio, ela é o resultado final do trabalho acumulado de gerações. É preciso que se tenha feito grandes sacrifícios ao bom gosto, é preciso ter feito muita coisa, e ter deixado de fazer muita coisa por sua causa – o século XVII na França é digno de admiração em ambos os casos –, é preciso que se tenha feito no bom gosto um princípio de seleção para a companhia, o lugar, a vestimenta, a satisfação sexual, é preciso que se tenha preferido a beleza à vantagem, ao hábito, à opinião, à preguiça. Regra suprema: é preciso não se "deixar levar", nem diante de si mesmo. – As coisas boas são de sobremaneira custosas: e vale sempre a lei que quem as *tem* é distinto de que as *conquistou*. Tudo o que é bom é herdado: o que não é herdado é imperfeito, é começo... Em Atenas, à época de Cícero que, neste aspecto, exprime sua surpresa, os homens e os jovens eram muito superiores em beleza, em relação às mulheres: mas quanto trabalho e esforço em serviço da beleza exigiram de si, por séculos, o sexo masculino! – Não se deve justamente se enganar aqui quanto ao método: uma mera disciplina de sentimentos e pensamento é quase nula (– e nisso consiste o grande mal-entendido da formação [*Bildung*] alemã que é ilusória): em primeiro lugar, é preciso persuadir o *corpo*. A estrita conservação de gestos significativos e seletos, uma obrigatoriedade de viver somente com seres humanos que não se "deixam levar", é perfeitamente suficiente para se tornar significativo e seleto: em duas, três gerações tudo já está *internalizado*. É algo decisivo para o destino de um povo e da humanidade, que se comece a cultura [*Cultur*] pelo lugar *justo* – *não* pela "alma" (como foi a funesta superstição dos sacerdotes e semissacerdotes): o *resto* se segue daí... Os gregos permaneceram, por isso, o *primeiro-acontecimento-cultural* da história – eles sabiam, eles *faziam* o que era necessário; o cristianismo, que desprezou o corpo foi, até agora, a maior desgraça da humanidade. –

48.

Progresso no sentido que eu o entendo. – Eu também falo de "retorno à natureza", embora não seja realmente um voltar, mas sim um *ascender* – ascender a uma elevada, livre e inclusive terrível natureza e naturalidade, uma natureza tal que joga e *permite* jogar com grandes tarefas... Para dizê-lo em *alegoria* [*Gleichniss*]: Napoleão foi uma peça de "retorno à natureza", conforme eu a entendo (por exemplo, *in rebus tacticis* [em questões tácitas], e mais ainda, como sabem os militares, em questões estratégicas). – Mas Rousseau – para onde *ele* queria realmente retornar? Rousseau, esse primeiro homem moderno, idealista e *canaille* em uma só pessoa; aquele que tinha necessidade da "dignidade" moral para suportar seu próprio aspecto; doente de uma vaidade desmesurada e um autodesprezo desmesurado. Também esse aborto, que se colocou no umbral da época moderna, queria "retorno à natureza" – para onde, perguntando mais uma vez,

Rousseau queria retornar? – Odeio ainda Rousseau *na* revolução: ela é a expressão histórico-universal dessa duplicidade de idealista e *canaille*. A *farse* sangrenta com que essa revolução se encena, sua "imoralidade", isso pouco me importa: o que odeio é a sua *moralidade* rousseauneana – as assim denominadas "verdades" da revolução, com as quais continua a influenciar e persuade para si tudo o que é superficial e medíocre. A doutrina da igualdade!... Mas não existe de modo algum veneno mais venenoso: pois ela *parece* predicada da própria justiça, ao passo que é o *fim* da justiça... "O igual aos iguais, o desigual aos desiguais – *isso* seria o verdadeiro discurso da justiça: daí se segue, jamais igualar o desigual." – O fato de que tenha existido em torno daquela doutrina da igualdade coisas tão terríveis e sangrentas deu a essa "ideia moderna" *par excellence* uma espécie de glória e resplendor, de modo que a revolução, enquanto *espetáculo*, seduziu inclusive os espíritos mais nobres. Em última instância, isso não é nenhuma razão para respeitá-la ainda mais. – Eu vejo apenas uma pessoa que a percebeu, conforme tinha de ser percebida, com *nojo* – Goethe...

49.

Goethe. – Não um acontecimento alemão, mas sim europeu: uma grandiosa tentativa de superar o século XVIII por meio de um retorno à natureza, por meio de um *ascender* à naturalidade da Renascença, uma espécie de autossuperação por parte daquele século. – Ele carregava em si os mais fortes instintos de tal século: a sentimentalidade, a idolatria da natureza, o aspecto anti-histórico, idealista, irreal e revolucionário (– este último é somente uma forma de irreal). Considerou, em auxílio, a história [*Historie*], a ciência natural, a Antiguidade, inclusive Espinosa, sobretudo a atividade prática; cercou-se somente de horizontes fechados; não se desprendeu da vida, colocou-se dentro dela; não era esmorecido e tomou tanto quanto possível sobre si, acima de si e dentro de si. O que ele queria era *totalidade* [*Totalität*]; combateu a cisão entre razão, sensibilidade, sentimento, vontade (– pregada na mais espantosa escolástica por *Kant*, o antípoda de Goethe), disciplinou a si mesmo para a inteireza [*Ganzheit*], *criou* a si mesmo... Em meio a uma época disposta ao irreal, Goethe foi um realista convicto: disse sim a tudo o que nela se aparentava a ele, – não teve nenhuma grande vivência do que aquele *ens realissimum* [*ser realíssimo*] chamado Napoleão. Goethe concebeu um ser humano forte, de elevada formação, hábil em todas as questões corporais, possuindo as rédeas de si mesmo e reverência diante de si mesmo, a quem era lícito a ousadia de permitir-se o inteiro âmbito e riqueza da naturalidade, bem como suficientemente forte para essa liberdade; o homem da tolerância não por fraqueza, mas por força, pois ainda sabe usar em sua vantagem aquilo que faria sucumbir uma natureza mediana; o homem para quem nada mais existe de proibido, a não ser a *fraqueza*, quer se chame vício ou virtude... Com um fatalismo alegre e confiante, um tal espírito que se *tornou livre* está no centro de tudo, na fé de que apenas o singular é reprovável, de que tudo se redime e se afirma no todo – *ele não nega mais*... Mas uma tal fé é a mais elevada de todas as fés possíveis: eu a batizei com o nome de *Dioniso*. –

50.

Poder-se-ia dizer que, em certo sentido, o século XIX *também* aspirou por tudo o que Goethe aspirou como pessoa: uma universalidade no entender, no aprovar, um deixar que se acerquem as coisas, um realismo temerário, uma reverência por todas as coisas que são factuais. Como se explica que o resultado global não é um Goethe, mas sim um caos, um suspirar niilista, um não saber de onde vem nem pra onde vai, um instinto de cansaço que *in praxi* [na prática] continuamente impele *a um remontar ao século XVIII*? (– por exemplo, como romantismo do sentimento, como altruísmo e hipersentimentalidade, como feminismo no gosto, como socialismo na política.) O século XIX não é, pelo menos em seu resultado, meramente o século XVIII reforçado, *embrutecido*, ou seja, um século de *décadence*? De modo que Goethe teria sido não somente para a Alemanha, mas para toda Europa, um mero incidente, uma bela inutilidade? – Mas se mal-entende [*missversteht*] os grandes seres humanos, quando os observamos a partir da lastimável perspectiva do proveito público. O fato de que não se saiba extrair deles nenhum proveito, *isso talvez pertença inclusive à grandeza*...

51.

Goethe é o último alemão, diante do qual eu tenho reverência: ele teria sentido três coisas que eu sinto, – também nos entendemos sobre a "cruz"... Frequentemente me perguntam para que escreveria eu efetivamente em *alemão*: em nenhum outro lugar fui pior lido do que em minha pátria. Mas quem sabe, afinal, se eu também *desejaria* ser lido hoje? – Criar coisas sobre as quais a época tenta, em vão, fincar os dentes; empenhar-se, em forma e *em substância*, por uma pequena imortalidade – nunca fui ainda suficientemente modesto para exigir menos de mim. O aforismo, a sentença, nos quais sou o primeiro mestre entre os alemães, são as formas da "eternidade"; minha ambição é dizer em dez frases, o que outro diz em um livro, – o que outro *não* diz em um livro...

Eu dei à humanidade o livro mais profundo que ela possui, meu *Zaratustra*: darei em breve a ela o mais independente. –

O que devo aos antigos

1.

Para concluir, uma palavra sobre aquele mundo para o qual busquei acessos, para o qual talvez tenha encontrado um novo acesso – o mundo antigo. Meu gosto, que talvez seja o oposto de um gosto indulgente, também está longe aqui de dizer sim em bloco: em geral, ele não diz sim de bom grado, gostaria ainda de nem dizer não e, preferencialmente, não dizer absolutamente nada... Isso vale a culturas inteiras, isso vale para livros, – vale também para lugares e paisagens. No fundo, é um número muito pequeno de livros antigos que conta em minha vida; os mais famosos não estão dentre eles. Meu sentido para o estilo, para o epigrama como estilo, despertou-se quase instantaneamente no contato com Salústio. Não esqueci do espanto do meu venerado Professor Corssen, quando teve de dar a nota mais alta ao seu pior latinista –, estava pronto de um só golpe. Conciso, rigoroso, com a maior substância possível ao fundo, uma fria maldade contra a "bela palavra", inclusive contra o "belo sentimento" – isso eu adivinhei em mim mesmo. Em mim será reconhecido, inclusive até em meu *Zaratustra*, uma ambição bem séria pelo estilo *romano*, pelo *aere perennius* no estilo. – De maneira não diferente me aconteceu no primeiro contato com Horácio. Até hoje, não experimentei por nenhum poeta o mesmo encantamento artístico que, desde o início, senti por uma ode de Horácio. O que aqui é alcançado, em certos idiomas não é possível nem sequer *querer*. Esse mosaico de palavras, onde toda palavra, como som, como lugar, como conceito, derrama sua força à direita e à esquerda, bem como para além do todo, esse *minimum* em extensão e número dos signos, e, com isso, esse *maximum* realizado na energia dos signos - isso tudo é romano e, se acreditam em mim, *nobre par excellence*. Toda a poesia restante, ao contrário, torna-se algo demasiado popular, - uma mera loquacidade de sentimento...

2.

Aos gregos não devo absolutamente quaisquer impressões tão fortes e semelhantes; e, para dizer claramente, eles não *podem* ser para nós o que são os romanos. Não se *aprende* com os gregos - sua maneira de ser é demasiado estranha, é inclusive demasiado fluida para atuar imperativamente, "classicamente". Quem teria aprendido a escrever alguma vez com um grego! Quem o teria aprendido *sem* os romanos!... Não me objetem Platão sobre isso. Em relação a Platão, sou um cético radical e sempre esteve fora de cogitação concordar com a admiração pelo Platão *artista*, que é tradicional entre os eruditos. Em última instância, tenho ao meu lado nesse ponto os mais refinados juízes do gosto dentre os próprios antigos. Platão confunde, como me parece, todas as formas do estilo e, com isso, ele é o *primeiro décadent* do estilo: ele tem sobre a consciência algo de semelhante aos cínicos, que inventaram a *satura Menippea* [sátira Menippea]. Para que o diálogo platônico, essa espécie de dialética espantosamente presunçosa e pueril, pudesse atuar como estimulante, é preciso, para isso, que nunca se tenha lido os franceses, - Fontenelle, por exemplo. Platão é entediante. - Por fim, minha desconfiança para com Platão vai mais fundo: eu o acho tão desviado de todos os mais fundamentais instintos dos helenos, tão moralizado [*vermoralisirt*], tão antecipadamente cristão – ele já tem o conceito "bom" como conceito supremo –, que preferiria usar, em relação ao inteiro fenômeno Platão, a dura palavra "fraude superior" ou, se preferem ainda ouvir, a palavra idealismo – do que qualquer outra. Pagou-se caro pelo fato de que esse ateniense tenha andado pela escola dos egípcios (– ou dos judeus no Egito?...) Na grande fatalidade do cristianismo, Platão é aquela ambiguidade e fascinação denominada "ideal", que tornou possível entre as naturezas mais nobres da Antiguidade, o mal-entender-se a si mesmas e o transpor a *ponte* que conduziria à "cruz"... E quanto existe ainda de Platão no conceito "igreja", na construção, no sistema, na práxis da Igreja! – Meu restabelecimento, minha predileção, minha *cura* [*Kur*] de todo platonismo foi em todo tempo *Tucídides*. Tucídides e, talvez, *O príncipe* de Maquiavel, são os que mais se aparentam a mim, por meio de uma vontade incondicional de não se deixar enganar, bem como em ver a razão na *realidade* [*Realität*], – *não* na "razão", e muito menos na "moral"... Nada cura tão profundamente quanto Tucídides desse lastimável embelezamento dos gregos no ideal, que os jovens de "formação clássica" recebem para a vida como um prêmio pelo seu adestramento ginasial. É preciso voltar os olhos linha por linha e ler seus pensamentos ocultos de maneira tão clara como suas palavras: há poucos pensadores tão ricos em pensamentos ocultos. Em Tucídides, a *cultura dos sofistas*, quero dizer, a *cultura dos realistas*, alcança sua expressão mais completa: esse inestimável movimento em meio à fraude da moral e do ideal das escolas socráticas, que igualmente se espalhava por toda parte. A filosofia grega como a *décadence* do instinto grego; Tucídides como a grande soma, a última revelação daquela factualidade [*Thatsächlichkeit*] forte, rigorosa, dura, que estava nos instintos dos antigos helenos. A *coragem* frente à realidade distingue, em definitivo, naturezas como Tucídides e Platão: Platão é um covarde frente à realidade, – *por conseguinte* foge no ideal; Tucídides tem *a si mesmo* em seu poder, por conseguinte também tem as coisas em seu poder...

3.

Farejar nos gregos "almas belas", "meios áureos" e outras perfeições, admirar neles algo como a calma na grandeza, a maneira ideal de pensar, a elevada ingenuidade – desta "elevada ingenuidade", no final das contas uma *niaiserie allemande* [bobagem alemã], estava protegido pelo psicólogo que carrego em mim. Eu vi neles seu mais forte instinto, a vontade de poder, vi-os tremer ante a indomável violência desse impulso, – vi suas instituições surgirem de medidas de proteção para se assegurarem uns dos outros contra sua *matéria explosiva* interior. A enorme tensão no interior descarregou-se então em terrível e implacável inimizade ao exterior: as comunidades estatais se dilaceravam entre si, a fim de que os cidadãos de cada uma delas encontrassem repouso de si mesmos. Tinha-se necessidade de ser forte: o perigo estava próximo –, era ouvido em toda parte. A magnífica agilidade corporal, o temerário realismo e imoralismo que é próprio dos helenos, foi uma *necessidade*, não uma "natureza". Ele só foi consequência, não estava lá desde o início. E com festas e artes também não se queria nada diverso do que sentir a si mesmo *por cima*, *mostrar-se* a si mesmo por cima: são meios para glorificar-se a si mesmo e, em certas circunstâncias, suscitar temor diante de si... Julgar os gregos, à maneira alemã, por seus filósofos, usar a honradez de seus bons moços das escolas socráticas para extrair conclusões sobre *o que* seria, no fundo, helênico!... Os filósofos são certamente *décadents* da grecidade [*Griechenthms*], o contramovimento contra o gosto antigo, nobre (– contra o instinto agonal, contra a *polis*, contra o valor da raça, contra a autoridade da tradição). As virtudes socráticas foram pregadas *porque* os gregos as haviam perdido: irritáveis, temerosos, inconstantes, comediantes todos eles, tinham algumas razões em demasia para deixar que pregassem a moral. Não que tivesse ajudado em algo: mas grandes palavras e atitudes se adequam muito bem aos *décadents*...

4.

Eu fui o primeiro que, para compreensão dos antigos, do instinto helênico ainda rico e inclusive transbordante, levou a sério aquele maravilhoso fenômeno que carrega o nome de Dioniso: que é explicável unicamente a partir de um *excesso* de força. Quem se dedica aos gregos, como Jakob Burckhardt na Basileia, o mais profundo conhecedor da sua cultura que vive hoje, soube imediatamente que com isso alguma coisa teria sido feita: Burckhardt acrescentou à sua *Cultura dos gregos* um capítulo específico sobre o denominado fenômeno. Ao se querer o oposto, então se veria quase a divertida pobreza de instintos dos filólogos alemães quando se aproximam do dionisíaco. Especialmente o famoso Lobeck que, com a animada segurança de um verme ressequido em meio a livros, rastejou nesse mundo de estados misteriosos e se convenceu de ser científico, pelo fato de que era frívolo e pueril até a náusea, – Lobeck deu a entender, com toda pompa de erudição, que todas essas curiosidades, na verdade, nada teriam de importância. De fato, se os sacerdotes quisessem ter comunicado aos participantes de tais orgias algo não carente de valor, por exemplo, que o vinho estimula o prazer, que o homem por vezes vive de frutos, que as plantas florescem na primavera, e que murcham no outono. No que se refere àquela surpreendente riqueza em ritos, símbolos e mitos de origem orgiástica, da qual o mundo antigo está literalmente todo recoberto, Lobeck encontra nela uma causa para se tornar em um grau mais espirituoso. "Os gregos", diz em *Aglaophamus I*, 672, "não tinham outra coisa para fazer, então davam risada, pulavam, corriam por todo lado, ou, visto que o homem também tem prazer um com o outro, sentavam-se, choravam, lamentavam-se. Mais tarde, *outros* ainda se juntavam e então buscavam alguma razão para esse bizarro comportamento; e assim, como explicação para tais hábitos, surgiram aquelas inumeráveis lendas festivas e mitos. Por outro lado, acreditava-se que aquelas *agitações bufonescas* realizadas nos dias de festas, também pertenciam, necessariamente, às celebrações festivas e constituíam uma parte imprescindível do culto religioso." – Isso é uma charlatanice desprezível, e alguém como Lobeck não será levado a sério em momento algum. Bem diversamente nos comove quando testamos o conceito "grego" que Winckelmann e Goethe formaram para si, e o encontramos inconciliável com aquele elemento a partir do qual a arte dionisíaca cresce, – com o orgiasmo [*Orgiasmus*]. De fato, não duvido que Goethe, por princípio, tenha excluído algo desse tipo das possibilidades da alma grega. *Logo, Goethe não entendeu os gregos*. Pois só nos mistérios dionisíacos, na psicologia do estado dionisíaco, exprime-se o *fato fundamental* do instinto helênico – sua "vontade de vida". *O que* o heleno garantia para si mesmo com esses mistérios? A vida *eterna*, o eterno retorno da vida; o futuro prometido e consagrado no passado; o triunfante Sim à vida, para além da morte e transitoriedade; a *verdadeira* vida como continuação global por meio da procriação, por meio dos mistérios da sexualidade. Para os gregos, o símbolo *sexual* era, por isso, o símbolo reverenciado em si, o autêntico profundo sentido no interior de toda antiga religiosidade. Cada particularidade no ato da procriação, da gravidez, do nascimento, despertava os sentimentos mais elevados e solenes. Na doutrina dos mistérios, a *dor* se torna santificada: as "dores da parturiente" santificam a dor em geral, – todo devir e crescer, toda garantia de futuro *condiciona* a dor... Para que exista o eterno prazer em criar, para que a vontade de vida afirme eternamente a si mesma, *tem de* existir também eternamente a "dor da parturiente"... Isso tudo significa a palavra Dioniso: eu não conheço nenhuma simbologia mais elevada do que essa simbologia *grega*, aquela da festa dionisíaca. Nela, o mais profundo instinto de vida, aquele do futuro da vida, da eternidade da vida, é sentido religiosamente, – o próprio caminho à vida, a procriação, é sentido como o caminho *sagrado*... Somente o cristianismo, com seu ressentimento *contra* a vida em sua base, fez da sexualidade algo impuro: ele jogou *lama* sobre o começo, sobre o pressuposto da nossa vida...

5.

A psicologia do orgiasmo como um sentimento transbordante de vida e de força, no interior do qual a própria dor ainda atua como estimulante, deu-me a chave para o conceito de sentimento *trágico*, que fora mal-entendido tanto por Aristóteles quanto especialmente pelos nossos pessimistas. A tragédia está tão distante de provar qualquer coisa ao pessimismo dos helenos no sentido de Schopenhauer, que ela deveria ser considerada antes como sua decisiva refutação e *contrainstância* [*Gegen-Instanz*]. O dizer-sim à vida inclusive aos seus mais obscuros e mais duros problemas; a vontade de vida, que se alegra da própria inesgotabilidade no *sacrifício* dos seus tipos supremos – a *isso* eu denominei dionisíaco, *isso* eu adivinhei como a ponte que conduz à psicologia do poeta *trágico*. *Não* para livrar-se do terror e da compaixão, não para purificar-se de um perigoso afeto, por meio da sua veemente descarga – assim entendeu Aristóteles – : mas sim, para além do terror e da compaixão, *para sermos* nós mesmos o eterno prazer do devir, – aquele prazer que também inclui em si o *prazer do destruir*... E, com isso, toco novamente no ponto do qual parti uma vez – o *Nascimento da tragédia* foi minha primeira transvaloração de todos os valores: com isso, regresso novamente ao solo do qual cresce minha vontade, meu *ser capaz* [*Können*] – eu, o último discípulo do filósofo Dioniso, – eu, o mestre do eterno retorno...

O martelo fala

Assim falou Zaratustra. 3, 90.

"Por que tão duro? – falou o carvão de cozinha uma vez ao diamante: não somos, pois, parentes próximos?"

Por que tão moles? Oh meus irmãos, assim pergunto eu a vós: não sois então – meus irmãos?

Por que tão moles, tão maleáveis e condescendentes? Porque existe tanta negação, renegação em vossos corações? tão pouco destino em vosso olhar?

E não quereis ser destinos e inexoráveis: Como podereis alguma vez comigo – vencer?

E se vossa dureza não quiser resplandecer e cortar e retalhar: Como podereis alguma vez comigo – criar?

Todos os criadores são justamente duros. E tem de parecer a vós bem-aventurança, imprimir vossa mão sobre milênios, como cera, –

– Bem-aventurança, escrever sobre a vontade de milênios, como bronze, – mais duros que o bronze, mais nobres que o bronze. Somente o totalmente duro é o mais nobre.

Essa nova tábua, oh meus irmãos, coloco eu sobre vós: tornai-vos duros! –

Vozes de Bolso

- *Assim falava Zaratustra* – Friedrich Nietzsche
- *O Príncipe* – Nicolau Maquiavel
- *Confissões* – Santo Agostinho
- *Brasil: nunca mais* – Mitra Arquidiocesana de São Paulo
- *A arte da guerra* – Sun Tzu
- *O conceito de angústia* – Søren Aabye Kierkegaard
- *Manifesto do Partido Comunista* – Friedrich Engels e Karl Marx
- *Imitação de Cristo* – Tomás de Kempis
- *O homem à procura de si mesmo* – Rollo May
- *O existencialismo é um humanismo* – Jean-Paul Sartre
- *Além do bem e do mal* – Friedrich Nietzsche
- *O abolicionismo* – Joaquim Nabuco
- *Filoteia* – São Francisco de Sales
- *Jesus Cristo Libertador* – Leonardo Boff
- *A Cidade de Deus – Parte I* – Santo Agostinho
- *A Cidade de Deus – Parte II* – Santo Agostinho
- *O conceito de ironia constantemente referido a Sócrates* – Søren Aabye Kierkegaard
- *Tratado sobre a clemência* – Sêneca
- *O ente e a essência* – Santo Tomás de Aquino
- *Sobre a potencialidade da alma* – De quantitate animae – Santo Agostinho
- *Sobre a vida feliz* – Santo Agostinho
- *Contra os acadêmicos* – Santo Agostinho
- *A Cidade do Sol* – Tommaso Campanella
- *Crepúsculo dos ídolos ou Como se filosofa com o martelo* – Friedrich Nietzsche
- *A essência da filosofia* – Wilhelm Dilthey
- *Elogio da loucura* – Erasmo de Roterdã
- *Linguagem corporal em 30 minutos* – Monika Matschnig
- *Utopia* – Thomas Morus
- *Do contrato social* – Jean-Jacques Rousseau
- *Discurso sobre a economia política* – Jean-Jacques Rousseau
- *Vontade de potência* – Friedrich Nietzsche
- *A genealogia da moral* – Friedrich Nietzsche
- *O banquete* – Platão
- *Os pensadores originários* – Anaximandro, Parmênides, Heráclito
- *A arte de ter razão* – Arthur Schopenhauer
- *Discurso sobre o método* – René Descartes
- *Que é isto – A filosofia?* – Martin Heidegger
- *Identidade e diferença* – Martin Heidegger
- *Sobre a mentira* – Santo Agostinho
- *Da arte da guerra* – Nicolau Maquiavel
- *Os direitos do homem* – Thomas Paine

- *Sobre a liberdade* – John Stuart Mill
- *Defensor menor* – Marsílio de Pádua
- *Tratado sobre o regime e o governo da cidade de Florença* – J. Savonarola
- *Primeiros princípios metafísicos da Doutrina do Direito* – Immanuel Kant
- *Carta sobre a tolerância* – John Locke
- *A desobediência civil* – Henry David Thoureau
- *A ideologia alemã* – Karl Marx e Friedrich Engels
- *O conspirador* – Nicolau Maquiavel
- *Discurso de metafísica* – Gottfried Wilhelm Leibniz
- *Segundo tratado sobre o governo civil e outros escritos* – John Locke
- *Miséria da filosofia* – Karl Marx
- *Escritos seletos* – Martinho Lutero
- *Escritos seletos* – João Calvino
- *Que é a literatura?* – Jean-Paul Sartre
- *Dos delitos e das penas* – Cesare Beccaria
- *O anticristo* – Friedrich Nietzsche
- *À paz perpétua* – Immanuel Kant
- *A ética protestante e o espírito do capitalismo* – Max Weber
- *Apologia de Sócrates* – Platão
- *Da república* – Cícero
- *O socialismo humanista* – Che Guevara
- *Da alma* – Aristóteles
- *Heróis e maravilhas* – Jacques Le Goff

CATEQUÉTICO PASTORAL

Catequese – Pastoral
Ensino religioso

CULTURAL

Administração – Antropologia – Biografias
Comunicação – Dinâmicas e Jogos
Ecologia e Meio Ambiente – Educação e Pedagogia
Filosofia – História – Letras e Literatura
Obras de referência – Política – Psicologia
Saúde e Nutrição – Serviço Social e Trabalho
Sociologia

TEOLÓGICO ESPIRITUAL

Biografias – Devocionários – Espiritualidade e Mística
Espiritualidade Mariana – Franciscanismo
Autoconhecimento – Liturgia – Obras de referência
Sagrada Escritura e Livros Apócrifos – Teologia

REVISTAS

Concilium – Estudos Bíblicos
Grande Sinal – REB

PRODUTOS SAZONAIS

Folhinha do Sagrado Coração de Jesus
Calendário de mesa do Sagrado Coração de Jesus
Agenda do Sagrado Coração de Jesus
Almanaque Santo Antônio – Agendinha
Diário Vozes – Meditações para o dia a dia
Encontro diário com Deus
Guia Litúrgico

VOZES NOBILIS

Uma linha editorial especial, com importantes autores, alto valor agregado e qualidade superior.

VOZES DE BOLSO

Obras clássicas de Ciências Humanas em formato de bolso.

CADASTRE-SE
www.vozes.com.br

EDITORA VOZES LTDA.
Rua Frei Luís, 100 – Centro – Cep 25689-900 – Petrópolis, RJ
Tel.: (24) 2233-9000 – Fax: (24) 2231-4676 – E-mail: vendas@vozes.com.br

UNIDADES NO BRASIL: Belo Horizonte, MG – Brasília, DF – Campinas, SP – Cuiabá, MT
Curitiba, PR – Fortaleza, CE – Goiânia, GO – Juiz de Fora, MG
Manaus, AM – Petrópolis, RJ – Porto Alegre, RS – Recife, PE – Rio de Janeiro, RJ
Salvador, BA – São Paulo, SP